Chères lectrices,

N'avez-vous jamais rêvé d'hériter d'un lointain parent — d'un oncle d'Amérique… — une petite maison de rêve, nichée dans la verdure ? A vous les promenades le long des chemins buissonniers, les pique-niques à l'ombre bienfaisante des grands arbres, les baignades dans l'eau fraîche et vivifiante des rivières… Cette vie bucolique ne vous fait-elle pas penser à des vacances éternelles ?

C'est ce que découvre Tabitha, une jeune Londonienne qui, grâce à un héritage inattendu, devient propriétaire d'une belle demeure dans la campagne française (*Héritière de l'amour,* de Lynne Graham, Azur n° 2606, premier volet de votre nouvelle trilogie « Secrets et passions »). Bien sûr, la maison est un peu à l'abandon et a besoin d'un sérieux coup de peinture, mais quel charme ! Et quel joli paysage !

Et puis, l'amour n'est-il pas également convié à ce délicieux rendez-vous ?

Excellente lecture !

La responsable de collection

Pour une seule nuit d'amour

MAGGIE COX

Pour une seule nuit d'amour

COLLECTION AZUR

éditions **Harlequin**

Cet ouvrage a été publié en langue anglaise
sous le titre :
THE ITALIAN'S PREGNANCY PROPOSAL

HARLEQUIN®

est une marque déposée du Groupe Harlequin
et Azur ® est une marque déposée d'Harlequin S.A.

*Toute représentation ou reproduction, par quelque procédé que ce soit, constituerait
une contrefaçon sanctionnée par les articles 425 et suivants du Code pénal.*
© 2005, Maggie Cox. © 2006, Traduction française : Harlequin S.A.
83-85, boulevard Vincent-Auriol, 75013 PARIS — Tél. : 01 42 16 63 63
Service Lectrices — Tél. : 01 45 82 47 47
ISBN 2-280-20505-X — ISSN 0993-4448

1.

Bliss ne put s'empêcher de jeter de nouveau un coup d'œil discret à sa montre dès que son chef eut tourné le dos. Etourdie par les effluves des parfums alignés sur les étagères du stand où régnait maintenant une chaleur étouffante, elle avait l'impression de se trouver dans une fumerie d'opium. Sans parler de ses yeux qui la brûlaient à cause de l'ombre à paupières qu'on lui avait demandé de porter pour en assurer la promotion. Elle n'avait qu'une hâte : s'en débarrasser, tout comme du fond de teint, du blush et du rouge à lèvres qui transformaient son visage au point qu'elle avait du mal à se reconnaître dans une glace. Elle allait devoir endurer cette torture deux heures encore…

Pourquoi avait-elle accepté ce travail dans ce grand magasin de luxe fréquenté par une clientèle de femmes aussi fortunées que désœuvrées ? Elle aurait été bien en peine de le dire. Ou plutôt si, elle le savait : pour assurer la soudure entre deux jobs, elle s'était laissé persuader par sa meilleure amie, qui travaillait là elle aussi, de postuler pour cet emploi. Trudy, qui adorait la vente, considérait ce lieu comme un vrai petit paradis. Mais pour Bliss, plus le temps passait et plus la parfumerie prenait l'allure d'une antichambre de l'enfer.

— Excusez-moi… Je voudrais choisir un rouge à lèvres.

— Certainement, madame, répondit Bliss à la cliente qui s'était avancée vers elle. Avez-vous déjà une idée de la teinte que vous recherchez ? Je vais vous montrer les derniers… Madame ? Oh, mon Dieu !

Avant que Bliss ait eu le temps d'esquisser le moindre geste, sa cliente, une frêle jeune femme très brune, s'était effondrée sur le sol. Sa petite fille, dans une poussette, se mit aussitôt à hurler de terreur.

Bliss s'agenouilla précipitamment près de la femme, tout en cherchant en même temps à apaiser l'enfant. Comme un attroupement commençait à se former, elle fit son possible pour écarter les curieux. Elle desserra le col du luxueux manteau de l'inconnue.

— Je me sens si mal… si mal…, balbutia cette dernière dont la peau mate avait pris une teinte presque terreuse.

Comme Bliss écartait des mèches brunes de son front moite, les paupières de la jeune femme se soulevèrent un instant, révélant des yeux d'un bleu surprenant.

— Je vous en prie, prenez soin de ma fille, murmura encore l'inconnue d'une voix tremblante avant de sombrer dans l'inconscience.

— Ne vous inquiétez pas, je m'occuperai d'elle, promit Bliss en jetant un coup d'œil inquiet au bébé qui s'était brusquement calmé.

— Que se passe-t-il ? demanda soudain le chef de rayon qui s'était approché en fendant la foule. Vous connaissez cette personne ?

Visiblement, il n'appréciait guère cet incident qui venait perturber l'impeccable organisation de son emploi du temps…

En dépit de l'agacement qu'elle sentait poindre en elle, Bliss lui répondit avec amabilité.

— Pas du tout. Il s'agit d'une cliente qui se trouvait dans le rayon et qui a été prise d'un malaise. Pourriez-vous appeler une ambulance ?

Quelques minutes plus tard, les secours arrivèrent dans un concert de sirènes et de crissements de freins.

Bliss, après avoir vérifié que la cliente respirait normalement, l'avait installée aussi confortablement que possible. Elle fut toutefois soulagée de pouvoir la confier aux ambulanciers. Fidèle à sa promesse, elle s'était aussi chargée du bébé auquel elle avait donné à boire. Puis, comme l'enfant commençait à gémir en jetant à la ronde des regards apeurés, elle l'avait prise dans ses bras.

L'un des deux ambulanciers lui fit signe d'approcher.

— L'enfant était avec elle ? demanda-t-il.

— Oui, et j'ai également récupéré son sac à main, acquiesça Bliss.

Elle lui montra la luxueuse besace qu'elle avait rangée dans la sacoche de la poussette de peur que quelqu'un ne la piétine ou ne s'en empare.

— Il doit contenir ses papiers d'identité, ajouta-t-elle.

— Prenez-le et montez dans l'ambulance avec le bébé. Comment vous appelez-vous ?

— Bliss Maguire.

— Vous êtes irlandaise comme moi, alors ?

— A moitié, répondit Bliss qui trouvait un peu étrange de discuter ainsi de ses origines dans de telles circonstances. Par mon père.

— Eh bien, Mlle Maguire, allons-y, conclut l'ambulancier en souriant gentiment.

Il devint vite évident que le bébé avait faim. Après s'être renseignée à l'accueil de l'hôpital, Bliss suivit les flèches menant à la cafétéria, en se félicitant d'avoir pensé à prendre son sac avant de monter dans l'ambulance. Ensuite, munie d'un sandwich et d'une tasse de thé, elle s'installa à un coin de table et prit la fillette sur ses genoux pour lui donner à manger. La petite fille avala avec empressement son pain au fromage et au concombre.

— Pauvre chérie ! Toutes ces émotions t'ont creusée, murmura-t-elle.

Se trouver séparée de sa mère dans des circonstances aussi dramatiques qu'inattendues risquait de lui causer un traumatisme. Pourvu que la jeune femme récupère vite ! Bliss espérait qu'un membre de la famille, alerté par l'hôpital, arriverait bientôt pour prendre en charge la fillette. Celle-ci serait certainement soulagée d'apercevoir un visage familier.

Bliss regarda l'enfant, qui lui tendait un petit morceau de pain. En riant, la jeune femme l'accepta et se mit à le mâcher avec une ardeur exagérée pour l'amuser.

— Miss Maguire ?

En entendant son nom, prononcé avec un léger accent, Bliss leva vivement la tête. Elle rencontra alors un regard d'un vert étincelant, comme elle n'en avait jamais vu ailleurs que dans les pages glacées des magazines de luxe… Récemment, un célèbre acteur de Hollywood était venu dans le magasin où elle travaillait : mais même ce bourreau des cœurs ne tenait pas la comparaison avec cet homme aux cheveux épais, d'un noir de jais, et à la silhouette longiligne que mettaient en valeur des vêtements d'une élégance à la fois confortable et raffinée.

— Oui ? balbutia-t-elle, tandis que son cœur se mettait à battre la chamade.

Inconsciemment, elle resserra son étreinte autour de la fillette, maintenant silencieuse, et se promit intérieurement de ne la confier à personne avant de s'être assurée de son identité.

— Je suis Dante di Andrea, le frère de la jeune femme qui vient d'être admise dans cet hôpital. L'enfant que vous tenez dans vos bras est Renata Ward, ma nièce.

La fillette leva vers l'homme un regard indifférent. Aucune marque de reconnaissance, se dit Bliss, soudain en alerte.

— Vraiment ? demanda-t-elle.

— Vous mettez ma parole en doute ? lança-t-il sur un ton incrédule et offensé.

Visiblement, la simple idée qu'on puisse douter de ce qu'il affirmait ou qu'on conteste son autorité relevait pour lui de la pure folie…

— Pourquoi mentirais-je ? ajouta-t-il en foudroyant Bliss de son regard vert. Viens, Renata, je vais m'occuper de toi.

— Je crains de ne pas pouvoir vous remettre cette enfant aussi facilement, déclara Bliss en affectant un calme qu'elle était loin de ressentir. Je préfère que nous allions à la réception des urgences pour qu'on me confirme votre identité.

— J'apprécie beaucoup votre sérieux, mademoiselle Maguire, mais réfléchissez : comment aurais-je pu arriver jusqu'à vous sans avoir été auparavant identifié par le personnel médical ?

Il fronça les sourcils avant d'ajouter :

— Avez-vous eu le temps de parler à ma sœur avant qu'elle ne perde conscience ? Dans ce cas, vous avez sans doute remarqué qu'elle avait un accent italien, tout comme moi. C'est dans son sac qu'on a trouvé mon nom et mon numéro de téléphone.

C'était sans doute vrai, se dit Bliss sans pouvoir cependant se départir d'une certaine défiance. Elle ne voulait prendre aucun risque. S'il arrivait quelque chose à cette enfant qui lui avait été confiée par sa mère, elle ne se le pardonnerait jamais.

— J'ai effectivement eu le temps d'échanger quelques mots avec votre sœur, et c'est précisément pour ça que je tiens à vérifier ce que vous dites.

— Que vous a donc demandé ma sœur ? s'enquit Dante di Andrea en la foudroyant du regard.

— De prendre soin de sa fille, comme je m'y emploie en ce moment même.

Elle se leva, serrant Renata qui s'était endormie contre sa poitrine. En dépit de son mètre soixante-dix, face à cet homme qui la dominait de quinze bons centimètres, elle se sentait presque petite.

— Dans ce cas, soupira-t-il, retournons à la réception où l'on vous dira que je suis bien Dante di Andrea, le frère de Tatiana Ward. J'espère qu'alors vous voudrez bien me rendre ma nièce pour que je puisse prendre soin d'elle. *Sì* ?

Sous son regard plein d'arrogance, Bliss sentit son visage s'empourprer, mais s'abstint de répliquer. Compte tenu des circonstances, mieux valait éviter de discuter. Tout ce qu'elle voulait, c'était remettre Renata entre de bonnes mains.

Tenant fermement la petite fille, elle enfila le long couloir qui menait vers l'accueil. A sa grande surprise, la jeune femme réalisa qu'elle regrettait un peu que cet homme soit arrivé aussi vite à l'hôpital… Renata était si délicieusement douce et tiède au creux de ses bras qu'elle sentait se réveiller en elle, avec une force déroutante, un instinct maternel qu'elle avait toujours ignoré.

*
**

— Mademoiselle Maguire, déclara la réceptionniste, une femme entre deux âges et visiblement efficace, je peux vous assurer que M. di Andrea est bien le frère de Mme Ward qui vient d'être admise ici même en observation. Cette fillette est sa nièce, Renata Ward.

La femme souriait patiemment à Bliss, comme si elle s'adressait à une enfant un peu entêtée.

Dante di Andrea tendit les bras en direction du bébé, non sans pousser un léger soupir de soulagement. Tandis qu'il s'approchait d'elle, un parfum de santal enveloppa Bliss, qui ressentit une sensation aussi violente que s'il l'avait touchée.

— Ton oncle va s'occuper de toi, ma chérie, dit-elle à Renata. Il faut être sage, n'est-ce pas ? Ta maman sera bientôt là.

Etrangement, Bliss se sentait au bord des larmes. Au moment où Dante allait lui prendre la fillette des bras, celle-ci s'accrocha à la jeune femme en gémissant, agrippant fermement son chemisier de soie blanche.

— Allons, ma douce, allons… Tout ira bien. N'aie pas peur, dit Bliss en dépit de l'angoisse qui lui serrait le cœur.

Comme elle croisait le regard de Dante au-dessus de la tête de la fillette, la frustration et la colère qu'elle y lut la firent douter une fois de plus. Peut-être que cet homme n'avait jamais de sa vie rencontré la moindre résistance, mais elle ne se sentait pas pour autant prête à capituler devant lui.

— Donnez-moi ma nièce, mademoiselle Maguire, dit-il d'un ton ferme. Merci d'avoir pris soin d'elle en l'absence de sa mère, mais je voudrais maintenant aller voir ma sœur et lui amener sa fille.

— On dirait pourtant qu'elle ne vous a jamais vu, répliqua Bliss avec calme.

Renata s'accrochait au chemisier de Bliss avec une incroyable vigueur, ses petits poings crispés sur l'étoffe comme si sa vie en dépendait. Aussi, pourquoi Dante di Andra adoptait-il cette attitude aussi farouche ? Même s'il était bouleversé par le malaise de sa sœur, il aurait dû prendre sur lui pour ne pas effrayer la fillette.

— Et puis, comment pourrais-je vous la confier alors qu'il est évident qu'elle ne veut pas aller avec vous ? ajouta la jeune femme.

Pour toute réponse, Dante laissa échapper quelques mots d'italien sur un ton si violent que la réceptionniste elle-même lui jeta un regard apeuré. Ce qui n'ébranla toutefois nullement la détermination de Bliss : pas question de lui remettre Renata tant qu'il ne se serait pas calmé.

— Cette gamine est très timide. D'ailleurs, elle me connaît à peine, déclara-t-il en détournant les yeux, comme s'il répugnait à s'expliquer.

En dépit de son ton dur, Bliss ne put s'empêcher de ressentir soudain un élan de sympathie pour lui.

— Elle vient de perdre son père, ajouta-t-il. C'est d'ailleurs sans doute la cause du malaise de Tatiana.

— Je suis navrée de l'apprendre, monsieur di Andrea.

Bliss soupira.

— Ecoutez, je ne cherche pas à créer des difficultés, mais simplement à m'assurer que tout va bien pour Renata, vous comprenez ?

Dante serra les dents. Les beaux yeux presque violets de cette jeune femme lui faisait soudain oublier toutes ses certitudes quant à la froideur supposée des Anglo-Saxons. L'intérêt plein de chaleur qu'elle témoignait pour sa nièce le déconcertait et le touchait.

— Peut-être pourrions-nous nous asseoir un moment ?

14

proposa-t-il en entraînant Bliss vers un banc situé un peu à l'écart.

A peine s'était-il assis à côté d'elle que Bliss se sentit troublée par cette présence si virile. Elle tenta vainement de se concentrer sur l'enfant qu'elle tenait sur ses genoux.

Si, comme elle l'avait entendu dire, la vie d'un Italien est inscrite sur son visage, Dante di Andrea ne devait manquer ni d'expérience ni de confiance en lui. Avec son teint hâlé, son regard perçant et sa silhouette d'une rare élégance, il était doté d'un pouvoir de séduction qu'il exerçait avec une exceptionnelle arrogance...

Sentant que Renata s'était de nouveau endormie dans ses bras, Bliss lui caressa le front et déposa doucement sur sa joue encore mouillée de larmes un baiser furtif. Si elle ne rendait pas au plus tôt Renata à son oncle, on risquait de l'inculper d'enlèvement... Mais pourquoi son instinct s'éveillait-il ainsi pour un enfant qui lui était totalement étranger, et alors que la maternité ne l'avait jamais attirée le moins du monde ? Il fallait qu'elle ait complètement perdu la tête, se dit-elle, submergée par les émotions contradictoires qui l'assaillaient.

— Qu'est-il arrivé au mari de votre sœur, demanda-t-elle, si je peux me permettre de vous poser cette question ?

Dante détourna le regard. Il n'avait aucune envie d'aborder ce sujet : le chagrin de Tatiana avait été si violent et si désespéré qu'il avait ébranlé l'équilibre de toute leur famille : lui-même, son frère Stefano, ses parents Antonio et Isabella, tous avaient vu leurs vies totalement bouleversées quand Matt Ward, qui rentrait chez lui après avoir fêté une brillante promotion, avait été tué par un chauffard ivre. Tatiana était si amoureuse, si heureuse...

Dante n'avait pas pu s'empêcher d'envier sa sœur quand celle-ci avait épousé le jeune Anglais qu'elle aimait. Lui-même était convaincu qu'il ne serait jamais aussi heureux en amour : sa fortune considérable et son travail bien trop prenant lui apparaissaient comme des obstacles insurmontables. D'ailleurs, jamais il ne s'était vraiment intéressé aux femmes qui gravitaient autour de lui, attirées par sa richesse et son statut. Par le passé, il avait souvent regretté de ne pas jouir de la même liberté que Tatiana qui avait pu poursuivre ses études en Angleterre, sans responsabilités. Mais aujourd'hui, il ne ressentait plus la moindre jalousie, seulement du chagrin et des regrets à la pensée de ce bonheur saccagé et de Renata qui ne connaîtrait jamais son père.

Comme il baissait la tête, soudain accablé de tristesse, il eut la surprise de sentir la main de la jeune femme se poser sur son bras.

— Vous n'êtes pas obligé de me raconter. Je pense que vous devez avoir hâte de retrouver votre sœur. Tenez, Renata s'est endormie, prenez-la avec vous.

Sans dire un mot, Dante prit l'enfant dans ses bras. Au contact du petit corps qui s'abandonnait contre lui, son cœur se gonfla de tristesse. Il appréhendait la réaction de Tatiana quand elle le verrait arriver à son chevet, tenant Renata dans ses bras. Elle qui s'était toujours montrée si ouverte, si confiante, semblait désormais avoir perdu son extraordinaire joie de vivre. Et Dante aurait tant voulu lui permettre de la retrouver…

Il fut soudain arraché à ses sombres pensées par le regard de Bliss, toujours posé sur lui. Les yeux de cette jeune femme avaient la couleur des violettes. Avec son chemisier de soie blanche et ses épais cheveux noirs qui s'échappaient de sa queue-de-cheval, elle dégageait une troublante sensualité.

— *Grazie*, dit-il. On m'a dit que vous avez accompagné ma

sœur en ambulance. Vous m'autoriserez donc à vous offrir un taxi pour rentrer.

— J'ai bien l'intention d'en prendre un, mais je préfère le régler moi-même, répondit-elle en se levant.

Elle sentit son regard se poser de nouveau sur elle avec une intensité qui la troubla. Cet homme dégageait une telle aura de séduction… Pour tenter d'en neutraliser l'effet, elle se concentra sur l'enfant endormie, pensant qu'ils formaient à eux deux un tableau très touchant : l'oncle, superbe de virilité, et son adorable nièce. En réalisant qu'elle ne les reverrait sans doute plus jamais, elle sentit son cœur se serrer.

— Laissez-moi au moins votre adresse, mademoiselle Maguire. Ma sœur tiendra sûrement à rester en contact avec vous, ne serait-ce que pour vous remercier de votre aide.

— Je vous en prie, c'était tout naturel. Mais si je veux moi-même l'appeler pour prendre de ses nouvelles, je dois demander Madame Ward, n'est-ce pas ?

— Oui, Tatiana.

— Quel joli nom !

— Tout comme Bliss. *Felicità*.

— Pardon ? s'étonna-t-elle.

— C'est comme cela qu'on dit « joie » en italien. Mais je crois que je préfère ce prénom en anglais, remarqua-t-il avec un sourire qui fit littéralement fondre la jeune femme.

Comment pouvait-il exister des êtres aussi irrésistiblement attirants que Dante di Andrea ? se demanda-t-elle. Ils n'avaient échangé que des propos parfaitement anodins, et pourtant, sa voix teintée d'un léger accent était si sensuelle qu'il semblait à Bliss qu'il lui faisait l'amour avec des mots. Elle croisa les bras sur sa poitrine, comme s'il avait pu deviner les sensations brûlantes qu'il provoquait en elle…

— J'espère que tout va bien aller pour votre sœur et son

bébé, et aussi pour vous, dit-elle précipitamment. Maintenant, je dois partir.

— Laissez-moi vos coordonnées, je vous en prie, dit Dante en écartant doucement l'enfant pour sortir de sa poche de costume un petit carnet et un stylo.

Sans protester, Bliss y inscrivit son adresse et son numéro de téléphone. Pourtant, lorsqu'elle lui avait dit qu'elle ne se souciait guère qu'on la remercie, elle était sincère. Peut-être allait-il penser qu'elle avait changé d'avis et qu'elle attendait une récompense. Cette seule idée la fit frémir.

— Eh bien… au revoir, dit-elle en adressant au bel Italien un timide sourire d'adolescente.

Puis elle tourna les talons.

2.

Bliss prit peu à peu conscience de la sonnerie persistante du téléphone. Elle se dressa sur son lit, les yeux encore lourds de sommeil, et s'empara du récepteur posé sur la table de chevet. Elle étouffa un bâillement avant de répondre.

— Allô ?

— Mademoiselle Maguire ?

En une seconde, elle recouvra toute sa lucidité : cette voix au léger accent étranger ne pouvait appartenir qu'à Dante di Andrea.

— Oui, c'est moi, répondit-elle tout en passant dans ses cheveux une main tremblante.

— Dante di Andrea à l'appareil. Vous vous souvenez de moi ?

Comme s'il était possible qu'elle l'ait oublié... Depuis qu'elle l'avait quitté, Bliss n'avait cessé de repenser à leur rencontre.

— Oui, bien sûr, balbutia-t-elle d'une voix curieusement rauque. J'ai appelé l'hôpital hier soir et j'ai appris que votre sœur avait pu rentrer chez elle. Comment va-t-elle ?

— *Depressa ed afflitta*. Elle est encore très déprimée et affectée. Elle dort très mal ces temps-ci. C'est d'ailleurs la raison pour laquelle elle s'est évanouie devant vous, et...

Bliss perçut son hésitation.

— Son mari est décédé il y a six semaines seulement, reprit-il d'une voix crispée, et elle a du mal à retrouver la force de vivre.

— Je suis désolée… murmura Bliss.

— Pourrais-je vous voir ? enchaîna Dante.

— Pardon ?

Le cœur de Bliss s'était mis à battre avec une violence presque alarmante. Un instant, elle crut avoir mal entendu.

— Je vais être très franc avec vous, mademoiselle Maguire. Ma sœur a besoin d'aide. Matt, son mari, avait perdu ses parents, et jusqu'à ce que ma mère puisse venir d'Italie, elle sera seule avec Renata et moi. Ces derniers temps, j'ai pu prendre quelques congés pour l'aider, mais je n'ai aucune expérience des enfants. Nous avons besoin de quelqu'un qui s'occupe de ma nièce jusqu'à ce que Tatiana soit rétablie.

Tout en remontant machinalement les bretelles de sa chemise de nuit, Bliss, en proie à un tourbillon d'émotions contradictoires, mit un moment à comprendre de quoi il était question. Etait-il réellement en train de lui proposer de venir s'occuper de Renata ?

— Monsieur di Andrea, répondit-elle, je crains de ne pouvoir accepter votre proposition. J'ai beau trouver votre nièce absolument adorable, je dois travailler pour gagner ma vie. Si votre sœur veut que je vienne l'aider après mon travail, je ferai mon possible pour…

— Si vous venez vous installer chez nous pour prendre soin de Tatiana et de Renata jusqu'à ce que ma mère arrive, je vous paierai un salaire extrêmement généreux pour vos services. Et si vous devez renoncer à votre poste actuel, je m'engage à vous trouver par la suite un emploi mieux rémunéré.

Je ne manque pas de relations dans le monde des affaires, mademoiselle Maguire, cela me sera très facile.

Bliss n'en doutait pas. Il était clair que Dante di Andrea avait suffisamment confiance en lui pour remuer des montagnes s'il le voulait. Mais elle, désirait-elle vraiment abandonner son emploi pour accepter l'offre d'un homme qu'elle connaissait à peine ? Pour être honnête, jamais elle n'avait eu la vocation de la vente.

— Vous avez dit « vous installer chez nous ». Ne pourrais-je pas plutôt venir le matin et rentrer chez moi le soir ?

— Depuis que son père n'est plus là, Renata se réveille de nouveau la nuit, alors que Tatiana n'est pas en état de s'occuper d'elle. Il vaudrait mieux que vous emportiez ce qu'il vous faut pour séjourner un moment chez nous.

— Monsieur di Andrea, pourquoi ne pas vous adresser à une agence spécialisée dans le baby-sitting ?

— Je ne veux pas confier ma nièce à une étrangère !

— Mais je *suis* une étrangère, rétorqua Bliss, interloquée. Vous me connaissez à peine.

— Dès que je vous ai aperçue, tenant Renata dans vos bras, j'ai su qu'elle se sentait bien avec vous. Et comme vous l'avez réconfortée, elle se souviendra de vous.

— Mais vous, en revanche, elle avait l'air de vous avoir oublié, ne put-elle s'empêcher de dire.

Elle l'entendit soupirer à l'autre bout du fil.

— Je n'ai guère pu consacrer de temps à Tatiana depuis la naissance de Renata. En fait, la petite me considère comme un étranger. Mon travail en Italie m'accapare terriblement. Depuis la mort de Matt, je n'avais pas revu Renata. Après les obsèques de mon beau-frère, j'ai été dans l'obligation de rentrer à Milan, auprès de mes parents. La santé de mon père s'était brusquement dégradée, et ma mère n'a même pas pu se déplacer pour venir soutenir sa fille… J'essaie de résoudre tous ces problèmes. Mais pour le moment, tant que ma mère n'aura pas engagé une personne de confiance pour prendre soin de mon père, Renata et Tatiana ont besoin de quelqu'un qui s'occupe d'elles.

— Et c'est sur moi que s'est porté votre choix ? demanda Bliss.

Elle repoussa la couette et sortit du lit pour enfiler ses ballerines, sans lâcher le téléphone.

— *Sì*. Accepterez-vous de nous aider, mademoiselle Maguire… Bliss ?

La décision de la jeune femme était déjà prise. Oui, elle était déterminée à accepter la tâche qu'on lui proposait. Et si, au magasin, ils faisaient des difficultés pour lui accorder un congé, elle y verrait un signe du destin : elle n'était vraiment pas faite pour la vente. Dieu seul savait d'ailleurs quel emploi lui aurait convenu… Pour le moment, elle ne demandait pas mieux que de s'occuper de cette adorable fillette. Et si cela lui donnait l'occasion d'apercevoir parfois le si séduisant Dante di Andrea, pourquoi aurait-elle eu à s'en excuser ?

Tatiana Ward occupait le rez-de-chaussée d'un immeuble de Chelsea Harbour. Quand Dante lui avait donné cette adresse, Bliss en avait eu le souffle coupé : dans ce genre d'endroit, le moindre studio se vendait facilement un million de livres. En pensant à la chambre où elle vivait elle-même, dans un quartier en pleine déconfiture, elle se sentit soudain tout excitée à l'idée de travailler dans un monde si différent de celui qu'elle avait connu jusque-là.

Ses parents étaient tous deux d'origine très modeste. Sa mère avait souffert d'une dépression chronique qui l'avait empêchée de travailler et qui l'avait menée au suicide, quand Bliss avait à peine seize ans. Après sa mort, la jeune femme avait dû trouver un emploi pour les faire vivre, elle et son père, de plus en plus dépendant de l'alcool. Quand elle avait eu dix-huit ans, il était parti en lui laissant seulement un mot où il regrettait de n'avoir pas été un père idéal et lui demandait de ne pas chercher à le retrouver.

Dès lors, Bliss avait décidé de tirer un trait sur ce passé malheureux. Mais dans certaines situations, elle se sentait encore, comme aujourd'hui, minée par un manque accablant de confiance en elle : son enfance avait été une suite d'épreuves dont elle ne gardait que des souvenirs aussi tragiques que douloureux...

C'était cette angoisse qu'elle ressentait actuellement, debout devant la porte d'entrée de cet appartement de Chelsea Harbour. Elle fit appel à tout son courage pour appuyer sur la sonnette de l'Interphone.

— *Ciao !*

— Monsieur di Andrea ? C'est Bliss Maguire.

— Une minute, s'il vous plaît.

Bien qu'elle ait parfaitement reconnu la voix de Dante di Andrea, Bliss ne s'attendait pas à ce qu'il vienne lui ouvrir en personne, avec Renata dans les bras. La jeune femme aurait voulu déposer un baiser sur la joue rebondie du bébé, mais elle craignit que son geste ne soit pas apprécié.

Quant à Dante, il était aussi beau que dans son souvenir...

— Bonjour. Est-ce que je peux la prendre ? demanda-t-elle en désignant Renata.

En voyant le bébé faire fête à la jeune femme, Dante murmura en italien quelques mots qui semblaient exprimer un mélange de surprise et de soulagement. Il lui rendit la petite fille.

— Entrez, mademoiselle Maguire. Nous vous attendions avec impatience.

L'appartement, où la lumière pénétrait à flots, était grandiose, avec de splendides parquets d'érable, des meubles élégants et des bibelots d'un goût exquis qui devaient constituer des proies faciles pour les petites mains curieuses de Renata…

Dante conduisit la jeune femme vers un salon meublé de canapés en cuir et de tables de verre au piètement d'acier étincelant.

— Asseyez-vous, je vous en prie. Je reviens tout de suite, dit-il.

Il quitta la pièce non sans jeter un regard inquiet à la fillette qui avait empoigné avec vigueur la chevelure de la jeune femme.

En attendant son retour, Bliss joua avec l'enfant, soulagée de sentir son cœur battre un peu moins vite que lorsque les yeux de Dante se posaient sur elle. Tenant toujours Renata dans ses bras, elle fit le tour de la pièce avant de s'arrêter devant une fenêtre pour observer les bateaux de plaisance qui dansaient avec légèreté sur le fleuve.

— Quelle vue magnifique, Renata. Tu en as de la chance ! déclara-t-elle avant de se souvenir de la perte terrible que l'enfant venait de subir et de se reprocher *in petto* son manque de tact.

Mais l'enfant continuait à lui sourire en la fixant de ses grands yeux bruns, sans paraître en proie à la moindre anxiété, avec ses joues rebondies creusées de fossettes attendrissantes sur lesquelles Bliss posa un petit baiser.

— Je vous suis très reconnaissant d'être venue si vite, mais où est votre valise ? J'avais cru comprendre au téléphone que vous aviez décidé de vous installer ici.

Dante observait Bliss d'un air vaguement perplexe. Dans sa chemise blanche immaculée, son pantalon noir à la coupe parfaite, il était d'une élégance infinie.

— J'apporterai mes affaires un peu plus tard. Je voulais d'abord discuter avec vous des conditions…

Bliss se tut, intimidée par le regard qu'il posait sur elle. Sous sa veste de cuir, elle portait un simple T-shirt noir ajusté et un jean usé, des vêtements qu'elle avait choisis parce qu'elle s'y sentait bien. Brusquement, un doute s'empara d'elle. Cette tenue n'était-elle pas trop décontractée ? En face de cet homme séduisant et élégant, elle se sentait maintenant mal habillée.

Dante plissa les yeux. Il ne pouvait s'empêcher d'admirer les courbes magnifiques que mettaient en valeur le jean et le T-shirt de la jeune femme. Avec ses yeux aux longs cils noirs et son sourire plein de sensualité, elle ressemblait à Claudia Cardinale dans ses premiers films. Oui, elle était d'une beauté fascinante. Même si, en cela fidèle à ses ancêtres, il n'avait jamais détourné la tête quand passait près de lui une jolie femme, cela faisait longtemps qu'un simple regard n'avait pas fait naître en lui une telle attirance. Soudain, il sentit le feu du désir monter au creux de ses reins, alors qu'il contemplait l'épaisse chevelure brune dans laquelle jouait doucement la lumière. Il eut envie d'y plonger les doigts et d'en humer le parfum.

— Je ne savais pas trop comment m'habiller, expliqua la jeune femme. Sans doute ne me reconnaissez-vous même pas sans mon maquillage. Quand on travaille au rayon cosmétiques d'un grand magasin, on est obligé d'utiliser les produits que l'on vend. La plupart du temps, j'avais du mal à les supporter jusqu'à la fin de la journée.

Elle s'interrompit, apparemment gênée.

Dante tentait de se concentrer sur des pensées plus appropriées à la situation. Le simple fait de désirer la femme qu'il avait engagée pour aider sa nièce et sa sœur le plongeait dans la plus grande confusion.

— Vous êtes parfaite, dit-il enfin.

Il aurait voulu lui dire que même sans maquillage, une beauté comme la sienne ne pouvait manquer de susciter l'admiration. Mais il préféra s'abstenir de tout compliment pour ne pas effrayer la jeune femme. Qu'aurait-elle pensé de lui ?

— J'apprends à mes dépens que lorsqu'on s'occupe d'un enfant, mieux vaut choisir des vêtements simples et pratiques, dit-il sur un ton que son trouble rendait plus sec qu'il ne l'aurait voulu.

— Vous avez raison, acquiesça-t-elle en souriant.

Bliss se sentait soulagée que Dante n'évalue pas ses compétences en fonction de sa tenue.

— Voulez-vous que je lui fasse sa toilette ? proposa-t-elle.

— Volontiers. Je vais vous montrer la salle de bains, dit-il avec un sourire un peu forcé.

— Comment va votre sœur aujourd'hui ?

— Elle a passé toute la nuit ou presque à pleurer, mais au matin, elle a fini par s'endormir, répondit-il d'un air soucieux. Le médecin va passer la voir dans un moment pour l'examiner. Quand vous aurez lavé Renata, il faudra que nous parlions des modalités pratiques de votre travail, *sì ?*

Comprenant qu'il se sentait plus à l'aise sur des sujets moins personnels que la santé de sa sœur, Bliss le suivit le long d'un couloir avant d'arriver dans une salle de bains de marbre qui aurait pu appartenir à une star de Hollywood. Après lui avoir montré les étagères où s'empilaient des serviettes immaculées et parfaitement pliées, Dante resta sur le seuil tandis qu'elle faisait couler de l'eau et que Renata babillait gaiement.

— Vous trouverez ici tout ce dont vous avez besoin. Mais s'il vous manque quelque chose, n'hésitez pas à me le dire.

Comme il tardait à partir, Bliss sentit ses joues s'empourprer sous son regard.

— Qu'y a-t-il ? s'enquit-elle en levant les yeux vers lui.

— Vous vous y prenez si bien avec Renata ! Sans doute avez-vous grandi au milieu de nombreux frères et sœurs ?

— Non, répondit-elle en finissant de rincer le visage de la fillette avant de l'asseoir sur un tabouret pour la sécher. Je suis fille unique. Mais j'ai toujours adoré les enfants.

— Pourtant, vous ne vous êtes pas mariée ?

— Non, et je n'en ai pas l'intention. Le mariage ne m'intéresse pas beaucoup. Autant que je sache, il ne peut engendrer que de faux espoirs en l'attente d'un bonheur qui n'est le plus souvent qu'une illusion.

— Vous envisagez donc d'avoir des enfants sans être mariée ? demanda Dante en fronçant les sourcils.

Percevant sa désapprobation, Bliss ne put s'empêcher de laisser échapper un petit rire.

— Ce n'est pas non plus mon intention. Je me contenterai de gâter les enfants de mes amis.

Il laissa échapper quelques mots d'italien et Bliss lui jeta un regard réprobateur.

— J'aimerais bien comprendre votre langue, mais ce n'est pas le cas, déclara-t-elle un peu sèchement.

— Excusez-moi. Je disais simplement qu'il était dommage

qu'une femme dotée d'un instinct maternel aussi fort que le vôtre envisage de vivre sans se marier ni avoir d'enfants.

— Peut-être, mais rien ne me fera changer d'avis.

— Quel dommage ! déclara-t-il.

Bliss eut l'impression que son regard s'était assombri.

— Et vous, monsieur di Andrea, vous n'êtes pas marié ?

— Appelez-moi Dante.

La question le surprenait tellement qu'il mit quelques instants à recouvrer ses esprits. Sa mère ne manquait pas de lui rappeler, dès que l'occasion se présentait, à quel point elle regrettait qu'il soit encore célibataire. Certes, il était un homme d'affaires de premier plan dans le domaine de l'hôtellerie, et il avait largement contribué à accroître la fortune familiale en gagnant des sommes considérables avec une facilité presque effrayante. Quant à sa vie privée… Alors que son frère cadet, Stefano, qui le secondait dans le travail, était marié depuis presque huit ans et le père de trois enfants, Dante faisait figure de célibataire endurci, peu soucieux d'assurer sa descendance. Et contrairement à ce que sa mère espérait, il le resterait jusqu'à la fin de ses jours, à moins de rencontrer la femme exceptionnelle qui ne s'intéresserait pas d'abord à sa fortune.

— Je ne suis pas marié, répondit-il enfin. Ou plutôt si, mais à mon travail, comme vous dites ici.

— Ah bon.

Elle ne demandait pas : « Que faites-vous dans la vie ? » ou « Dans quelle branche travaillez-vous ? » Seulement « Ah bon »… Comme s'il l'intéressait si peu qu'elle n'avait aucune envie d'en savoir davantage.

L'attention de la jeune femme semblait s'être entièrement concentrée sur Renata qu'elle avait de nouveau prise dans ses bras après avoir terminé sa toilette. Sans pouvoir se l'expliquer, Dante en ressentit comme une blessure d'amour-propre.

— J'ai terminé, annonça-t-elle. Voulez-vous que nous parlions des modalités de mon travail ? proposa-t-elle.

— Oui. Allons dans la cuisine, je vais faire du café. Je suppose que vous avez déjà pris votre petit déjeuner ?

— J'ai grignoté une barre de céréales pendant le trajet. Je n'ai pas l'habitude de manger beaucoup le matin.

— Il ne faut pas faire si peu de cas de la nourriture.

— J'étais certaine que vous alliez me répondre de cette façon. Vous êtes bien italien ! s'exclama-t-elle avec un charmant sourire qui provoqua chez Dante une émotion qui le surprit une fois de plus.

— Vous sous-entendez que nous passons notre vie à manger ?

— Pas du tout. Mais la nourriture fait partie intégrante de votre culture. La nourriture, la famille et…

Bliss avait failli ajouter « l'amour », mais elle préféra s'abstenir en voyant se dessiner sur les lèvres sensuelles de Dante un irrésistible sourire. Cet homme ne pouvait faire le moindre geste sans qu'elle sente immédiatement un frisson délicieux courir le long de son dos. Pourquoi lui faisait-il cet effet ?

— *La dolce vita…* acheva-t-il pour elle. Une sorte d'amour de la vie, non ?

Il avait prononcé ces quelques mots avec une intonation si sensuelle que Bliss en eut le souffle coupé.

— C'est vrai, dit-elle.

Convaincue que Dante lisait à livre ouvert dans ses pensées, elle se sentit honteuse de ne pas pouvoir détourner le regard de son visage.

— Venez d'abord prendre un café et manger un peu. Nous aurons tout le temps de parler ensuite.

Bliss le suivit, dévorant des yeux sa haute silhouette aux épaules larges et puissantes.

— Alors, nous sommes d'accord ? Vous irez chercher vos affaires chez vous pour vous installer ici jusqu'à l'arrivée de ma mère.

— Du moment que votre sœur accepte que je reste chez elle, je suis d'accord.

Dante soupira de soulagement. Il jeta un coup d'œil à sa nièce qui, assise par terre, s'amusait à dessiner avec un papier et des crayons. Ses yeux s'emplirent de tendresse.

— C'est déjà assez terrible pour elle d'avoir perdu son père, murmura-t-il. Si maintenant sa mère ne peut même plus prendre soin d'elle…

— Cela ne durera pas. Votre sœur va bientôt se rétablir, j'en suis convaincue.

— Vous avez raison.

Curieusement, Dante se sentait heureux de pouvoir se confier à Bliss dont il appréciait le calme et la maturité. Exactement ce dont il avait besoin en ce moment. Lui qui se targuait d'être efficace dans tous les autres domaines se laissait très facilement démonter dans sa vie privée. Sans doute à cause du fossé qu'il avait toujours ressenti entre lui et les siens. Ce sentiment remontait à son enfance, lorsqu'il avait compris qu'Isabella n'était pas sa mère biologique.

Il était le fruit d'une liaison que son père avait eue dans sa jeunesse avec une Irlandaise. Mais les parents d'Antonio ne l'avaient pas autorisé à se marier et elle était morte peu après la naissance de Dante. Le cœur brisé, son père avait rompu avec ses parents et assumé seul l'éducation du bébé, avec l'aide de sa belle-sœur Romana. Jusqu'à ce qu'il rencontre Isabella Minetti, alors que Dante avait six ans. Un an plus tard, Stefano était né, suivi, dix-huit mois après, de Tatiana. Jamais Isabella n'avait fait de différence entre Dante et ses propres enfants, mais il s'était toujours senti lésé de ne pas être son fils biologique. D'autant que sa tante Romana n'avait jamais manqué de lui rappeler que si Antonio avait coupé les ponts avec leurs parents, il en était seul responsable. Chaque jour ou presque, elle lui avait répété qu'il avait bien de la chance d'être toléré dans leur famille, sans se priver de le traiter de « mauvaise graine d'Irlandais ».

Si Antonio avait appris cela, Dante était convaincu qu'il aurait prié Romana de quitter la maison. Mais il ne l'avait jamais su car le petit garçon n'avait jamais voulu dénoncer sa tante.

Pourtant, en grande partie à cause d'elle, il s'était toujours considéré comme un étranger tenu de faire perpétuellement ses preuves et il avait donc concentré toute son énergie sur son travail. Mais maintenant que sa sœur était plongée dans cette terrible tragédie, l'occasion lui était enfin offerte de lui prouver son attachement et son amour en faisant tout son possible pour l'aider. Et peut-être réussirait-il ainsi à détruire les barrières qu'il avait élevées dans son cœur…

— Cet après-midi, reprit-il, si Tatiana a envie de bavarder un peu, je vous conduirai auprès d'elle. Peut-être lui sera-t-il plus facile de se confier à une autre femme ? Même si ma mère l'appelle tous les jours, ce n'est pas comme si elle était là, vous comprenez ?

— Bien sûr, répondit Bliss, émue par cette sollicitude inquiète.

Bien que sa propre relation avec sa mère n'ait jamais

été aussi intime qu'elle l'aurait souhaité, elle comprenait parfaitement ce qui pouvait manquer à Tatiana dans de telles circonstances.

— Je serai très contente de parler avec votre sœur, si vous pensez que cela peut l'aider. A propos, n'oubliez pas de me laisser votre numéro de téléphone quand vous partirez, au cas où j'aurais besoin de vous joindre.

Une lueur étrange passa dans les yeux de Dante.

— Cela ne sera pas nécessaire, déclara-t-il.

— Pourquoi ?

— J'ai l'intention de rester ici. N'est-ce pas ainsi que vous l'aviez compris ?

3.

Jamais Bliss n'avait le moins du monde envisagé cette possibilité. Un flot d'émotions déferla sur elle. A l'idée qu'il lui faudrait dormir sous le même toit que cet homme si séduisant, elle se sentait soudain très vulnérable. Elle avait terriblement envie d'aider Tatiana et son adorable fillette, mais l'attirance irraisonnée qu'elle ressentait pour Dante n'allait-elle pas tout compliquer ? Elle n'avait pourtant pas l'habitude de réagir ainsi devant un homme, si beau fût-il. A se demander si elle n'était pas en train de perdre la tête…

En voyant l'expression ébahie de Bliss, Dante comprit que celle-ci réfléchissait à toute vitesse. Avait-elle l'impression qu'il l'avait prise au piège ? Il fit un effort surhumain pour détourner le regard de ses courbes voluptueuses, tandis qu'elle se levait de table, Renata toujours dans ses bras.

— Je comprends votre étonnement, mais il est indispensable que je reste ici pour veiller sur Tatiana et sa fille. S'il leur arrivait quoi que ce soit, jamais ma famille ne me le pardonnerait. Pas plus que je ne me le pardonnerais moi-même, d'ailleurs.

Il se dressa à son tour pour faire face à Bliss.

— Je suis incapable de prendre soin d'un bébé de l'âge de Renata, reconnut-il. Je n'ai aucune expérience des enfants.

C'est pourquoi j'ai tant besoin de votre aide. Mon frère Stefano et moi travaillons dans le secteur de l'hôtellerie et nous possédons des hôtels en Italie, en Sardaigne, à Paris et même ici, à Londres, où nous dirigeons un petit établissement de luxe, à Belgravia. Nous y disposons d'une suite réservée à la famille. Mais je m'en voudrais d'y séjourner alors que ma sœur peut avoir besoin de moi. Vous comprenez ?

Bliss poussa un léger soupir de soulagement et sentit son corps se détendre un peu. Dante di Andrea avait beau être riche et séduisant, il n'en avait pas moins gardé un sens élevé de ses devoirs envers une famille qu'il aimait à l'évidence énormément. Comment avait-elle pu croire un instant qu'il se sentait attiré par une femme comme elle et qu'il voulait la séduire ? Il avait sûrement des tas de petites amies dans le monde entier, toutes aussi séduisantes les unes que les autres.

— Très bien, monsieur di Andrea.

Comme il fronçait les sourcils, elle se souvint qu'il tenait à ce qu'elle utilise son prénom.

— Je veux dire, Dante. Cette situation ne me pose aucun problème. Dès que votre mère sera arrivée d'Italie, je rentrerai chez moi, mais pour le moment, je suis ravie de pouvoir vous être utile. Renata s'est endormie. Puis-je la coucher quelque part ?

— Bien sûr, répondit-il en disposant quelques coussins sur le canapé.

Dès que Bliss y eut déposé l'enfant, il alla chercher un plaid de cashmere sur le bras d'un fauteuil pour en recouvrir la fillette. Tandis qu'elle le regardait s'affairer à cette tâche, la jeune femme sentit son cœur s'emplir de tendresse. Si, comme il le lui avait dit, cet homme n'avait aucune expérience des enfants, il n'en considérait pas moins sa nièce comme un trésor inestimable…

— Je vais en profiter pour faire un saut jusque chez moi et rassembler ce dont j'ai besoin. Puis-je appeler un taxi ?

— Inutile. Mon chauffeur sera devant la porte dans quelques minutes. Ne vous attardez pas trop, je vous en prie, sinon je vais croire que vous ne voulez pas revenir, dit-il d'un ton anxieux.

Sa voix traduisait une sorte de possessivité qui fit frissonner Bliss. Comment parviendrait-elle à maintenir entre eux la distance de rigueur dans une relation strictement professionnelle si elle ne réussissait pas à maîtriser ses propres réactions ? Il lui fallait absolument se ressaisir et se convaincre qu'elle était là pour travailler et non pas pour s'abandonner à des rêveries romantiques.

Car Bliss avait beau ne pas savoir encore ce qu'elle attendait exactement de la vie, elle était convaincue que l'amour n'y aurait pas sa place. La tragédie dans laquelle avait sombré le mariage de ses parents, leur incapacité à élever leur enfant, tout l'avait dissuadée de croire aux sentiments.

— J'avais déjà préparé mes bagages, déclara-t-elle avec une feinte assurance, mais en détournant le regard. Il ne me reste qu'à aller les chercher pour les ramener ici.

Dès qu'elle fut de retour, Dante la conduisit dans le salon où Renata était assise face à l'immense écran de télévision qui diffusait un programme pour les enfants. Avec un sourire coupable qui le rendait plus séduisant encore, il haussa les épaules :

— Nous avons regardé des dessins animés tous les deux et je dois avouer que cela m'a beaucoup plu. C'est une grande joie de rester à côté de ma nièce et de l'entendre rire de bon cœur. Voilà longtemps que je ne m'étais pas senti aussi heureux.

Pendant quelques secondes, Bliss resta à le regarder, incapable de détourner les yeux de ce visage qu'elle n'avait jamais vu si rayonnant. Sa mâchoire bien dessinée, son nez aquilin et sa bouche où l'arrogance laissait maintenant place à la tendresse et à l'humour, ajoutaient encore à la force de son regard. Elle ne s'en sentit que plus déstabilisée encore.

— Quand on prend le temps de s'amuser avec un enfant, de partager ses plaisirs et ses joies, j'imagine qu'on a l'impression de retrouver sa propre enfance, ajouta-t-il, tandis que la jeune femme se débarrassait de sa veste de cuir.

Elle lui sourit en retour, non sans remarquer le regard qu'il lui lançait, celui d'un homme en pleine possession de sa virilité et dont elle ressentait dans tout son corps l'extraordinaire magnétisme.

— Puisque vous voilà pourvue de vos bagages, je vais vous montrer votre chambre, ajouta-t-il abruptement avant de se diriger vers la porte.

Son cœur battait si vite que Bliss crut un instant qu'elle était en proie à un malaise. Furieuse contre elle-même, elle se passa la main dans les cheveux avec nervosité avant de saisir sa valise et de suivre Dante dans le couloir.

— Socolat... bon.

Allongée par terre, Renata à califourchon sur l'estomac, Bliss ouvrait grand la bouche où la fillette laissait tomber une à une de petites pastilles de chocolat. Comme Dante avait disparu au fond de l'appartement pour passer quelques coups de fil, la jeune femme pouvait enfin se détendre en compagnie de sa petite protégée. Elle éprouvait un grand soulagement à l'idée d'avoir quitté son travail de vendeuse qui lui serait vite devenu insupportable.

Soudain, elle eut l'impression que Renata et elle n'étaient plus seules dans la pièce. Immédiatement, elle se releva, sans lâcher la petite fille. Appuyé contre l'encadrement de la porte, Dante les contemplait en silence.

— Vous auriez pu m'avertir de votre présence, protesta Bliss, furieuse d'avoir été observée sans le savoir.

— Vous n'ignorez pas que tout Italien qui se respecte ne perd jamais l'occasion d'admirer la beauté quand il la rencontre, rétorqua-t-il sans cesser de sourire.

Sentant son visage s'empourprer une fois de plus, Bliss tenta de dissimuler sa gêne en feignant de croire que ce compliment s'adressait non pas à elle mais à la fillette.

— Vous avez raison, elle est adorable. En grandissant, elle va briser tous les cœurs. Mais vous m'avez surprise.

— Je ne parlais pas seulement de Renata.

Désemparée par cet aveu, la jeune femme baissa les yeux, cherchant à maîtriser son trouble. Nul n'ignorait que les Italiens étaient des séducteurs nés. Sans doute cet homme se comportait-il ainsi avec toutes les femmes qui passaient à sa portée… Il ne fallait surtout pas en faire une affaire personnelle.

— Vous aviez autre chose à me dire ? s'enquit-elle tout en se concentrant sur Renata qui gigotait entre ses bras.

Moins elle parlerait à Dante, mieux cela vaudrait pour elle. Avec lui, elle devait absolument s'en tenir à des échanges purement professionnels.

— Tatiana est réveillée et m'a demandé de vous conduire auprès d'elle avec Renata.

— Allons-y, répondit Bliss, soulagée.

Adossée à une pile d'oreillers immaculés, Tatiana Ward était étendue sur son lit, ses cheveux noirs dénoués sur les épaules. Aucune trace de maquillage sur son visage à l'ossature délicate et dont la pâleur faisait ressortir l'intensité de ses yeux d'un bleu profond.

Au moment où ils pénétraient dans sa chambre, la malade remonta sur sa poitrine son couvre-lit brodé, comme pour dissimuler sa chemise de soie, et Bliss comprit qu'elle n'était pas la seule à appréhender cette rencontre.

Dante murmura à sa sœur quelques mots en italien, puis se pencha vers elle pour l'embrasser sur la tempe. Tatiana lui pressa la main, comme pour le remercier de la soutenir dans son épreuve. Puis elle leva les yeux et tendit les bras à sa fille. Immédiatement, Bliss lui remit Renata, non sans l'avoir auparavant débarrassée de son petit paquet de chocolats, qu'elle déposa sur le coffre chinois en laque qui faisait office de table de chevet.

En contemplant les retrouvailles de la mère et de la fille, Bliss se sentit gagnée par une intense émotion. Puis Renata s'écarta et s'installa presque timidement sur les genoux de sa mère, sans quitter toutefois trop longtemps des yeux sa nouvelle amie.

— Comme c'est gentil à vous de nous aider. Dès que je vous ai aperçue derrière votre stand, j'ai éprouvé de la sympathie pour vous, dit-elle en regardant son frère comme pour chercher son approbation.

— Je suis heureuse d'avoir pu vous venir en aide, répondit Bliss. Mais n'en parlons plus. Comment vous sentez-vous ?

— Fatiguée. Incapable d'exiger de mon corps ce que je souhaiterais qu'il fasse. Vous devez me juger une bien piètre mère, répondit Tatiana dont les yeux bleus s'emplirent brusquement de larmes.

Sans réfléchir, Bliss se précipita vers elle et la prit doucement par les épaules.

— Compte tenu des circonstances, il est normal que vous vous sentiez épuisée et diminuée, mais cela n'enlève rien pour autant à vos qualités de mère. Vous avez juste besoin qu'on s'occupe de vous le temps que vous repreniez des forces. Je resterai ici aussi longtemps que vous aurez besoin de moi, je vous le promets.

— *Grazie*. Quelle chance j'ai eu de vous rencontrer ! Je sais que vous vous occuperez parfaitement de ma fille et pour moi, c'est ce qui compte le plus au monde.

Dante approuvait chaque parole de sa sœur. Quel pouvoir possédait donc cette ravissante Anglaise pour éveiller en lui des sentiments et un désir plus puissant qu'aucune autre femme dans sa vie ? Il avait envie d'attirer son attention comme un adolescent.

Tant bien que mal, il chassa ces folles pensées pour en revenir aux priorités qu'il s'était fixées. Dès que sa mère serait arrivée de Milan, il pourrait se consacrer de nouveau à son travail et oublier jusqu'au souvenir de Bliss Maguire… Mais il ne put s'empêcher de continuer à dévorer des yeux la gracieuse silhouette de la jeune femme.

Quand Tatiana se sentit fatiguée, ils quittèrent la chambre, et Bliss donna son bain à Renata. Puis elle la mit au lit. Pendant tout ce temps, Dante l'avait observée à la dérobée en admirant ses courbes voluptueuses.

Lorsque enfin, le soir venu, elle s'installa sur un canapé du salon, il n'avait plus qu'une idée en tête : satisfaire son désir très primitif de faire l'amour avec elle.

— Renata s'est endormie très vite, dit Bliss. La pauvre avait du mal à garder les yeux ouverts. Si elle se réveille cette nuit, ne vous faites pas de souci : comme je dors dans la pièce à côté, je l'entendrai et je m'occuperai d'elle.

Durant de longues secondes, Dante ne trouva rien à répondre tant il avait du mal à dominer l'émotion que faisaient naître en lui l'éclat des yeux mauves de la jeune femme, ainsi que la douceur de sa voix. Comment résister à tant de beauté ? Mais il l'avait engagée pour prendre soin de Renata et pas pour assouvir d'inavouables désirs.

— Dante ?

Il secoua la tête pour reprendre ses esprits.

— J'espère qu'elle ne se réveillera pas, répondit-il, et que vous pourrez passer une bonne nuit. Je me suis aperçu que s'occuper d'un enfant n'était pas une tâche de tout repos, en dépit de tout ce que cela peut apporter.

— Votre travail ne doit pas être facile non plus, fit remarquer Bliss.

— La difficulté réside moins dans le métier lui-même que dans le fait d'avoir à gérer de façon simultanée plusieurs hôtels situés dans des pays différents.

Effectivement, songea Bliss, cette tâche devait requérir des qualités particulières : de l'intuition, de l'énergie et un sens des affaires particulièrement développé. Et à observer le sang-froid et l'assurance dont cet homme faisait preuve pour gérer le quotidien, il était évident qu'il ne devait pas non plus en manquer dans sa vie professionnelle.

— Mon père avait pris un hôtel en gérance quand j'étais enfant, continua-t-il, et il a travaillé dur pour réussir à en devenir propriétaire. Au moment où nous sommes devenus adultes, mon frère Stefano et moi, il en possédait déjà plusieurs autres, ce qui nous a tout naturellement amenés à entrer dans l'affaire pour la développer à notre tour.

Dante s'abstint toutefois de révéler à son interlocutrice que lorsqu'il s'était associé à Antonio di Andrea, celui-ci avait déjà perdu deux hôtels dans des investissements désastreux et était sur le point de devoir en céder un troisième. Après avoir suivi des cours du soir en comptabilité et en gestion, Dante avait quant à lui appris la pratique aux côtés de son père, et avait développé un instinct particulier pour redresser des affaires en difficultés. En deux ans à peine, il avait récupéré les deux établissements perdus et en avait acheté deux autres. Aujourd'hui, les hôtels di Andrea avaient acquis une réputation internationale dans le domaine du luxe.

— Vous aimez votre travail ? s'enquit Bliss.

— C'est une véritable passion, répondit-il avec un sourire, amusé qu'on puisse lui poser une telle question.

— J'aimerais bien, moi aussi, trouver un travail qui me passionne, soupira-t-elle.

— Vous n'aimiez pas votre travail de vendeuse ?

— Vous plaisantez ? C'était l'enfer…

— Vous n'êtes pas allée à la fac ? demanda Dante.

Elle sourit tristement.

— Ma famille n'en avait pas les moyens. Dès que j'ai eu seize ans, j'ai dû subvenir à mes propres besoins.

— Vous ne viviez pas chez vos parents ?

Ravalant la détresse qui lui nouait la gorge, Bliss se décida pour la première fois de sa vie à baisser sa garde et à se confier à quelqu'un.

— Ma mère s'est suicidée quand j'avais seize ans. Quant à mon père, qui n'allait déjà pas très bien, il s'est alors totalement laissé aller. Il fallait que je veille sur lui nuit et jour ou presque. Et puis, deux ans après la mort de ma mère, il est parti. Depuis sept ans, je suis sans nouvelles de lui.

— Pour vous, cela a dû être… très difficile, déclara Dante après un long silence.

— Difficile ? Ce n'est pas le mot que j'utiliserais. On emploie ce mot pour désigner des problèmes que l'on peut surmonter. Alors que perdre son père et sa mère en moins de deux ans… Excusez-moi, je ne sais vraiment pas pourquoi je vous raconte tout ça. Je n'ai pas l'habitude de me confier si facilement à n'importe qui.

— Je voudrais tant ne plus être « n'importe qui » pour vous, Bliss. Et je suis désolé que vous ayez eu à subir des épreuves aussi terribles.

D'instinct, Dante avait compris à quel point il avait dû en coûter à la jeune femme de lui parler de son passé. Plus le temps passait et plus le respect qu'il ressentait pour elle augmentait…

— Allons, dit-elle en se levant, chacun doit surmonter ses propres difficultés.

Bliss s'en voulait. Elle en avait sûrement trop dit. Maintenant qu'il savait de quel milieu elle était issue, il risquait de ne plus avoir la même confiance en elle. Le cœur serré, elle sentit qu'il lui fallait à tout prix chasser les idées noires qu'avait fait naître en elle l'évocation de son passé. Pourquoi ne pas aller respirer un peu l'air de la nuit avant de se coucher ?

— Je vais faire un petit tour, dit-elle. Je peux prendre une clé pour éviter de vous déranger quand je rentrerai ?

— Vous n'en avez pas besoin. J'attendrai que vous soyez rentrée. Tant que vous vivez ici, vous êtes sous ma responsabilité. Ne restez pas dehors trop longtemps, je risquerais de me faire du souci. Il n'est jamais très sûr pour une jeune femme de se promener seule la nuit dans une grande ville.

Bliss était trop jalouse de son indépendance pour ne pas être tentée de rétorquer qu'elle n'avait nul besoin qu'on s'occupe d'elle, mais elle se sentit soudain trop lasse pour discuter. D'ailleurs, une partie d'elle-même, qu'elle avait jusque-là profondément enfouie, semblait se réjouir secrètement que quelqu'un ait envie de veiller sur elle.

— Je ne serai pas longue, promit-elle avant de s'éclipser.

Après avoir fermé la porte derrière elle, elle exhala un long soupir. Au fond, elle aurait préféré rester pour profiter de la quiétude de ce bel appartement.

Sans oublier, pour être honnête, l'homme merveilleux qui se proposait de prendre soin d'elle.

4.

— Aujourd'hui, je vous emmène déjeuner en ville avec Renata, déclara Dante le lendemain matin après le petit déjeuner.

Bliss, qui était en train de nettoyer le visage de la fillette, lui jeta un coup d'œil étonné.

— Ne vous croyez pas obligé… commença-t-elle en dépit de l'excitation qu'elle ressentait malgré elle à l'idée d'être vue en compagnie d'un homme aussi attirant.

— Un ami de notre famille, un prêtre originaire de Varèse, comme notre père, doit venir rendre visite à Tatiana. J'espère que sa présence pourra lui procurer quelque réconfort. Nous attendrons qu'il soit arrivé pour sortir. J'ai déjà réservé une table.

Il était évident qu'il n'y avait pas à discuter. Ce matin, Dante avait l'air profondément préoccupé, comme s'il n'arrivait pas à résoudre un problème qui l'accaparait. Sans doute était-ce à cause de sa sœur, se dit Bliss. Tatiana se sentait encore trop faible pour se lever. D'après le médecin qui l'avait examinée la veille, on ne pouvait pas dire encore avec certitude quand elle serait réellement remise du choc qu'elle avait subi. Chaque cas, avait-il déclaré, était différent, même si le processus menant à la guérison était le même pour tous. Il allait falloir faire preuve de patience.

Une heure plus tard, l'aide ménagère de Tatiana, une Italienne souriante et bien en chair, fit son entrée dans la cuisine. Comme Bliss emmenait Renata dans le salon, Dante les y suivit.

— Je ne vous ai pas demandé si vous vous sentiez mieux aujourd'hui ? demanda-t-il à la jeune femme.

— Que voulez-vous dire ? s'enquit Bliss avant de comprendre qu'il faisait allusion à ce qu'elle lui avait révélé la veille. Je me sens très bien. Oubliez ce que je vous ai raconté, je vous en prie. Il était tard et je devais être un peu fatiguée.

Dante fronça les sourcils. Il se sentait incapable de se plier à cette demande. Même si en cet instant, la santé de sa sœur et de sa nièce demeuraient sa priorité, il était intrigué par la jeune femme qui avait accepté de les aider. Quand Renata ferait la sieste et qu'ils se retrouveraient seuls, il se promettait bien de réussir à en apprendre davantage. Sans doute, tout comme lui, avait-elle pris l'habitude de dissimuler sa personnalité à ses proches. Dans ce cas, elle devait avoir besoin de se confier à quelqu'un qui la comprenne.

Quant à lui, pour la première fois dans sa vie que le travail avait jusque-là remplie tout entière, il avait l'occasion de consacrer du temps à sa sœur et à sa nièce et de réfléchir à ses relations avec les autres. Et pourquoi pas à celle qu'il entretenait avec Bliss ? Après tout, en tant que patron, il n'avait jamais minimisé l'importance de la communication avec ses collaborateurs...

Qui aurait pu croire qu'enrouler des spaghettis autour d'une fourchette soit aussi compliqué ? songea Bliss en évitant le regard de Dante qu'elle sentait peser sur elle. Quant à Renata, qui avait pris place entre eux sur une chaise haute, elle avait maintenant le visage presque totalement enduit de sauce tomate.

Dante réprima un sourire. Pour les clients de ce prestigieux restaurant italien, ils devaient avoir l'air de la famille type : *mamma, papà e bella bambina.* Il ne pouvait s'empêcher de couver d'un regard possessif la charmante jeune femme assise en face de lui : avec son chemisier rose pâle et son pantalon noir bien coupé, à peine maquillée, elle éclipsait toutes les autres dans la salle.

— En fait, cela n'a rien de difficile, déclara-t-il. Je vais vous montrer comment faire.

Joignant le geste à la parole, il enroula quelques spaghettis autour de sa propre fourchette et se pencha ensuite au-dessus de la table pour la lui tendre.

Bliss, médusée, tenta de les avaler aussi gracieusement que possible. Cette tâche ne lui était pas rendue facile par le regard que Dante fixait sur elle. Même si elle ne pouvait nier qu'il fût un homme de devoir, ce dont témoignait son comportement envers sa sœur, elle n'en demeurait pas moins persuadée qu'il se servait sciemment de son charme pour jouer avec elle.

— J'ignorais que manger des spaghettis demandait tant de talent, dit-elle en s'essuyant les lèvres pour dissimuler sa confusion.

Soudain, un homme s'approcha de leur table.

— *Ciao,* mon cher Dante. Ça fait plaisir de te revoir… *è stato molto tempo.*

— Oui, dit ce dernier en se levant pour saluer un élégant et souriant quinquagénaire. Bien trop longtemps à mon goût, Raphaël.

— Cette splendide famille est la tienne ?

Avant que Bliss ait pu esquisser le moindre geste, le nouveau venu s'était déjà penché pour embrasser Renata sur les deux joues en dépit de la sauce tomate.

— Je te présente ma nièce, et Bliss, une amie, corrigea Dante d'un ton un peu sec. Quant à moi, je suis toujours célibataire, hélas.

— Comment ?

Tout en se redressant, Raphaël jeta à Bliss un regard appréciateur avant de se lancer dans un long discours en italien auquel Dante ne répondit que par un haussement d'épaules amusé.

— *Bellissima !* dit encore Raphaël en faisant le tour de la table pour venir embrasser Bliss à son tour. Je ne peux pas croire Dante quand il prétend que vous êtes seulement « amis ». Même de l'autre bout de la salle, quand je vous ai aperçus, j'ai tout de suite vu que vous n'aviez d'yeux que l'un pour l'autre.

Le visage en feu, Bliss ne sut que répondre. Apparemment, ce discours avait l'air d'amuser Dante qui ne se pressait pas de rétablir la vérité.

— Vous vous trompez, balbutia-t-elle. Je travaille pour M. di Andrea, voilà tout.

— Vous allez merveilleusement bien ensemble tous les deux. C'est moi, Raphaël Destrieri qui vous le dis. Vous êtes belle. Et vous êtes italienne. Pas vrai ?

— Non, répondit la jeune femme sans pouvoir réprimer un sourire. Ma mère était anglaise et mon père irlandais.

En entendant cela, Dante sentit son intérêt pour elle grandir encore. Elle était donc à demi irlandaise… Au simple nom de Maguire, il aurait pourtant bien dû s'en douter. En découvrant ce point commun entre eux, il sentit une bouffée de joie envahir sa poitrine. Son père Antonio lui avait toujours répété que sa mère était une beauté. Pour en témoigner, il ne possédait qu'une vieille photo qu'il conservait précieusement dans un tiroir de son bureau. Sa mère avait des cheveux noirs, tout comme Bliss, et des yeux verts, de la couleur de son île natale.

— Vous connaissez votre arbre généalogique ? insista Raphaël. Vous avez certainement des ancêtres italiens.

— Je ne crois pas, répondit la jeune femme en se concentrant sur la cuillérée de pâtes qu'elle tendait à Renata.

Une fois de plus, le passé resurgissait, songea-t-elle avec résignation tout en tentant d'échapper aux sombres pensées qui l'assaillaient. Inutile de penser que tout cela était très loin d'elle maintenant, si la moindre allusion à sa famille suffisait à la replonger dans ces difficiles années.

— Raphaël ! intervint Dante, Bliss ne tient peut-être pas à être soumise à ce genre d'interrogatoire. D'ailleurs quelle importance de savoir d'où l'on vient ?

— Au contraire, c'est primordial. Regarde, toi et moi : nous n'appartenons pas à la même famille, mais nous sommes liés parce que ton père et le mien sont originaires de la même petite ville d'Italie. C'est quand même quelque chose.

— Je ne dis pas le contraire.

Sous un calme apparent, Dante tentait de dissimuler les sentiments contradictoires qu'éveillaient en lui cette discussion. Car depuis trente-trois ans, il n'avait cessé de se battre avec ses propres problèmes d'identité.

— Je maintiens simplement, reprit Dante, que tout le monde n'est pas aussi passionné que toi par ses origines.

Raphaël soupira avant de sourire en hochant la tête.

— Je vous en prie, dit-il en se tournant vers Bliss, pardonnez-moi si je vous ai blessée en quelque façon. C'était absolument involontaire.

— Mais pas du tout, protesta-t-elle. N'y pensez plus.

Au même moment, Renata tendit les bras à Bliss, qui s'empressa de la prendre sur ses genoux, sous les regards attendris des deux hommes.

Pour s'occuper de la fillette, elle avait des gestes aussi attentionnés que la plus dévouée des mères. A cette vue, le cœur de Dante se gonfla d'une joie inconnue. En italien, il confia à son ami que Bliss et lui devaient discuter de questions importantes et il promit à son ami de le rappeler un peu plus tard. Ils pourraient alors dîner ensemble et échanger des nouvelles de leurs familles respectives.

Raphaël s'empressa de saluer Bliss et caressa la chevelure brune de Renata avant d'échanger avec Dante une longue poignée de main et force tapes dans le dos.

— Quel homme charmant ! s'exclama Bliss quand il se fut éloigné, étonnée de l'expression préoccupée qui avait envahi les traits de Dante.

— Il s'intéresse beaucoup à l'art et sait reconnaître la beauté quand il la croise, murmura Dante.

Confuse, la jeune femme fit mine de ne pas comprendre le sous-entendu et déposa un petit baiser sur la tête de Renata.

— Tatiana ! Que fais-tu debout ? Le père Chinelli est parti ?

La jeune femme, vêtue d'une robe de chambre de satin rose, était assise sur un canapé. Ses longs cheveux étaient dénoués. Elle sursauta et se redressa quand ils entrèrent. Dans ses yeux d'un bleu profond, Bliss vit une lueur qui la poussa à serrer Renata plus fort dans ses bras. Dante semblait avoir remarqué, lui aussi, le changement intervenu chez sa sœur.

— Oui, le père Chinelli est parti, dit Tatiana. Merci de lui avoir demandé de passer. Cela m'a fait beaucoup de bien de parler avec lui.

— Effectivement, tu dois te sentir mieux, puisque tu as pu te lever.

— Il n'y a pas que cela. Maman a appelé pour me dire qu'elle avait enfin trouvé une infirmière compétente pour prendre soin de papa. Dès demain, elle va pouvoir venir s'installer ici. C'est merveilleux, n'est-ce pas ?

Merveilleux ? Dante se sentit soudain comme pétrifié. Si sa mère arrivait le lendemain, la présence de Bliss deviendrait inutile, et il n'aurait donc plus l'occasion de la voir. Il avait l'impression qu'un vide immense et douloureux se creusait en lui. Pourtant, il connaissait Bliss depuis trois jours à peine. Mais tout à l'heure, au restaurant, quand il lui avait approché cette fourchette de la bouche et qu'elle l'avait fixé de ses grands yeux violets qui étaient soudain devenus plus sombres… Le désir l'avait submergé avec tant de force ! Dieu merci, Raphaël avait fait son apparition juste à ce moment.

— Quelle excellente nouvelle ! s'écria-t-il d'une voix qu'il s'efforça de rendre réjouie. A quelle heure arrive-t-elle, pour que j'envoie une voiture la chercher à l'aéroport ?

Bliss s'étonna que Dante n'exprime pas davantage d'émotion. N'était-il pas heureux que sa sœur se sente mieux et que sa mère puisse enfin venir d'Italie pour l'aider ? Même si cela impliquait qu'ils pourraient désormais se passer de ses services…

A cette pensée, le cœur de la jeune femme se serra. Tandis qu'ils déjeunaient ensemble, tout à l'heure, il s'était produit en elle quelque chose d'étrange : elle avait pris conscience d'être vraiment amoureuse, pour la première fois de sa vie. Amoureuse au point d'en être presque terrorisée. Mais à quoi bon se faire du souci puisque après avoir quitté cette maison, elle ne reverrait certainement jamais Dante ?

Car rien ne pouvait naître de leur brève rencontre. Il vivait dans un monde trop différent du sien. Dès demain, chacun retrouverait son univers familier et oublierait même que le destin les avait un instant réunis… Comme des étrangers qui échangent dans un train un regard bref et passionné avant de descendre dans des gares différentes.

— Elle devrait arriver vers 15 heures, répondit Tatiana Même si je peux dès lors compter sur elle pour s'occuper de Renata, j'espère que vous accepterez de rester avec nous encore la nuit prochaine, Bliss.

— Bien sûr, répondit la jeune femme. Je suis si contente que vous vous sentiez mieux.

— *Grazie*… A propos, Dante, *mamma* assure qu'il y a un problème urgent à régler à l'hôtel de Milan. Il faudrait que tu te rendes au plus tôt là-bas.

Après avoir prononcé ces dernières paroles, Tatiana traversa la pièce pour embrasser sa fille que Bliss tenait toujours dans les bras. Puis elle quitta la pièce.

Une fois seuls, Bliss et Dante demeurèrent longtemps immobiles et silencieux. Enfin, il se tourna vers elle, sans pouvoir dissimuler son émotion.

— Quelle surprise ! avoua-t-il. J'étais loin de penser que ma mère réussirait à trouver aussi vite quelqu'un de confiance. A la seule idée de la voir bientôt arriver ici, ma sœur, qui a toujours été très proche d'elle, va déjà beaucoup mieux.

— Je suis certaine que la présence de votre mère lui apportera un grand réconfort.

— Mais vous ? Allez-vous retourner au magasin ?

Bliss acquiesça en dépit de l'angoisse qui lui étreignait le cœur à l'idée de reprendre son travail. Son responsable lui avait accordé un congé sans solde d'une semaine, il lui restait donc quelques jours pour chercher un emploi mieux adapté à ses goûts et à ses compétences.

— Je peux aussi m'accorder une pause, dit-elle avec un sourire contraint tout en serrant plus fort Renata contre elle. J'en profiterai pour remettre de l'ordre dans mon appartement, qui en a bien besoin.

— Mais vous n'avez guère envie de vous retrouver là-bas ? insista Dante.

— Non. Passer ma journée à vendre des parfums n'est pas vraiment ma vocation. Je préférerais me sentir plus utile.

— Vous voulez dire que vous aimeriez aider ceux qui en ont besoin ?

— Dans la mesure de mes possibilités.

— Dans ce cas, vous perdez votre temps au rayon cosmétiques, même si votre beauté incite sûrement les autres femmes à acheter les produits que vous vendez.

Bliss se força à sourire.

— Quant à vous, s'exclama-t-elle sur le ton de la plaisanterie, je suis sûre qu'à l'école maternelle, vous essayiez déjà de séduire vos petites camarades de classe en leur racontant des sornettes, répliqua-t-elle.

Elle se détourna pour cacher la tristesse qui gonflait son cœur.

Un homme aussi attirant que Dante, italien de surcroît, ne devait pas se priver de dispenser ses flatteries à toutes les femmes qui croisaient sa route. Comment aurait-elle pu être assez folle pour croire à ses compliments ? Il ne l'avait engagée que pour s'occuper de sa nièce. Maintenant que Tatiana semblait se rétablir, il était clair qu'il n'avait plus besoin d'elle. Pourtant, elle ne pouvait s'empêcher de se sentir déçue.

— Vous ne me croyez pas sincère ? dit-il en posant sa large main bronzée sur le mince poignet de la jeune femme dans un geste presque possessif.

— Que je vous croie ou non, quelle importance puisque nous ne nous verrons plus ?

Elle se dégagea.

— Mais Renata doit faire sa sieste. Excusez-moi, je vais aller la coucher.

— Vous, Bliss, vous m'oublierez vite. Mais pour moi, ce ne sera pas si facile, dit-il en se penchant vers elle.

Avant qu'elle ait pu esquisser le moindre mouvement, il avait posé sur ses lèvres un baiser si brûlant et si passionné qu'elle craignit un instant de lâcher l'enfant qu'elle tenait dans les bras.

— Pourquoi avez-vous fait une chose pareille ? protesta
Bliss quand il s'écarta.

Durant ces quelques secondes, elle avait cru qu'elle ne
pourrait pas résister à la sensualité brûlante qui émanait de
cet homme. A présent, elle avait l'impression que rien ne
comptait plus que son désir presque douloureux de sentir de
nouveaux les lèvres de Dante se poser sur les siennes, comme
si leurs bouches se connaissaient depuis toujours.

Submergée par un flot dévastateur de sensations et d'émotions, Bliss plongea ses yeux dans ceux de Dante où elle lut
qu'il était en proie à un trouble semblable au sien : comme
pour recouvrer ses esprits, il passa une main qui tremblait
un peu dans son épaisse chevelure brune.

— Faut-il réellement que je vous l'explique ? murmura-t-il
d'une voix rauque.

Sans pouvoir répondre, Bliss tentait de maîtriser le tourbillon de sentiments contradictoires qui bouillonnaient en
elle, sans y parvenir. Elle avait l'impression de sentir encore
dans sa bouche la caresse de sa langue, elle était comme
enivrée par son odeur virile...

Mais comment avait-il pu oser l'embrasser ainsi ? Et elle,
que devait-elle faire ?

A ce moment, la main de Renata se posa sur sa joue, comme si elle avait deviné sa confusion.

— Je ne vois pas ce que vous voulez dire, balbutia-t-elle.

Il avait l'air en colère, ce que Bliss ne comprenait pas. C'était plutôt à elle d'être furieuse… Mais mieux valait quitter la pièce comme si elle n'accordait aucune importance à cet incident. Pour lui, elle n'était sans doute qu'une jolie fille à son goût, qu'il oublierait très vite dès qu'elle serait partie.

— Je ne peux pas croire que vous ignoriez pourquoi je vous ai embrassée, dit-il d'une voix douce. Une femme aussi fine sait reconnaître le véritable désir quand elle le croise.

— Peut-être, je ne l'accueille pas forcément avec complaisance, dit-elle sans le regarder.

Et, tout en s'avouant intérieurement que sa sortie manquait de panache, elle quitta la pièce précipitamment, avant qu'il ait pu esquisser un geste pour la retenir.

Une fois sa valise bouclée, Bliss jeta un coup d'œil nostalgique à la chambre où elle avait dormi deux nuits durant. Elle admira une dernière fois les bateaux amarrés au pied de la maison. Leurs coques brillantes qui resplendissaient sous le soleil symbolisaient un monde diamétralement opposé à celui qu'elle avait connu jusque-là. Dante, au contraire, avait toujours appartenu à cet univers, songea-t-elle avec un mélange d'envie et de résignation. Un monde peuplé de riches chefs d'entreprise et de bienheureux fils de famille qui devaient faire face à des dilemmes qu'elle-même avait toujours ignorés : dans quelle île tropicale passer l'hiver ? Quel couturier choisir ce printemps ?

Elle soupira en pensant que si Tatiana ne s'était pas

évanouie sous ses yeux ce jour-là, elle n'aurait pas vu sa vie bouleversée au point d'avoir tant de mal aujourd'hui à retrouver la dure réalité.

Dante devait sans doute être préoccupé par l'arrivée de sa mère et par les problèmes qui se posaient à Milan. Dans ce cas, pourquoi l'avait-il l'embrassée si passionnément ? Elle-même n'avait-elle pas senti une flamme inconnue brûler dans ses veines ? Comme si elle n'avait pas vraiment vécu jusqu'à cet instant…

— Bliss ? Vous êtes prête ?

La voix de Dante, de l'autre côté de la porte, la fit tressaillir et mit tout son corps en émoi. Les doigts crispés sur son sac, elle jeta un dernier regard par la fenêtre avant d'ouvrir.

— Je suis prête, lança-t-elle en évitant délibérément de le regarder.

Tout en gravissant l'escalier, la valise de Bliss à la main, Dante fronça les sourcils en regardant discrètement autour de lui. Le contraste avec sa propre vie, confortable et protégée, lui était clairement apparu dès qu'il avait arrêté sa voiture devant l'immeuble décrépit que lui avait indiqué la jeune femme. Même s'il ne s'attendait pas à ce qu'elle vive dans le luxe, il ne pensait pas qu'elle habitait dans un tel quartier. Il en déduisait que son travail ne lui rapportait pas grand-chose, mais qu'elle n'avait guère le choix.

Quand il lui avait proposé de la raccompagner chez elle, elle avait accepté avec réticence, comme si elle voulait se débarrasser de lui au plus vite pour reprendre le cours habituel de sa vie. Mais lui n'avait aucune envie de la laisser partir. Le doux contact de ses lèvres l'avait enflammé aussi violemment qu'une allumette jetée sur une meule de paille.

Il brûlait désormais d'une ardeur dont l'intensité le dépassait. Et cela l'effrayait. Cela faisait si longtemps qu'il affectait le plus grand détachement dans sa vie affective, en évitant de s'engager… Aujourd'hui, il se trouvait confronté à un désir qu'il ne parvenait pas à maîtriser mais auquel sa nature véritable, profondément passionnée, l'engageait à se livrer tout entier.

— Eh bien, me voilà arrivée, annonça Bliss lorsqu'ils furent sur le palier.

Après avoir fait jouer la clé dans la serrure, elle tourna vers lui son regard d'améthyste, dans lequel Dante lut comme de la mélancolie. Sans doute regrettait-elle d'avoir dû quitter Renata ?

— Puis-je entrer un instant ? s'enquit-il, obéissant à une impulsion soudaine.

En prononçant ces mots, il se sentit traversé par un courant violent, comme si les émotions qu'il avait étouffées couraient brusquement dans ses veines.

— Pourquoi ? demanda-t-elle dans un souffle.

En guise de réponse il posa la main sur son épaule et la poussa dans l'entrée, meublée avec une charmante simplicité : un tapis en jonc de mer et des murs blanc cassé conféraient une atmosphère calme et apaisante dans laquelle il se sentit immédiatement plus détendu. Il était soulagé de constater que Bliss vivait dans un endroit qu'elle avait su rendre beau. Même si l'extérieur de l'immeuble laissait à désirer, elle avait réussi à créer chez elle une oasis de quiétude.

— Il faut que je vous paie, déclara-t-il.

— Oh, je… balbutia-t-elle tandis qu'il déposait sa valise sur le tapis.

De sa poche, il sortit une longue enveloppe de vélin crème qu'il lui tendit avec un petit sourire en coin.

— Ma sœur et moi vous remercions de nous avoir apporté votre aide avec tant d'efficacité et de gentillesse.

Soudain, l'idée d'accepter cet argent fit horreur à Bliss. Après tout n'avait-elle pas simplement agi comme tout être humain l'aurait fait à sa place ? Se faire payer pour aider une personne plongée dans l'embarras lui semblait absolument contraire à ses valeurs. D'autant qu'en deux jours elle s'était profondément attachée à Renata qui lui manquait déjà. En fait, la pensée qu'elle ne la reverrait plus suffisait à lui faire éprouver un vide douloureux. Comment allait-elle le combler, elle n'en savait rien.

— Je refuse tout paiement de votre part, Dante. J'ai été très heureuse de vous aider, votre sœur et vous, dans ces tragiques circonstances. Je ne tiens pas à en tirer profit.

— Nous nous étions pourtant entendus à ce sujet, protesta-t-il en fronçant les sourcils.

Bliss, les poings crispés, brûlait de le voir s'éloigner au plus vite afin de pouvoir enfin respirer librement. Jamais l'entrée de son appartement ne lui avait paru si étroite. Sans doute la haute silhouette de Dante lui faisait-elle perdre tout sens des proportions…

— Cet argent, vous l'avez gagné, tout comme notre reconnaissance. Vous nous blesseriez, Tatiana et moi, en le refusant.

— Pas question, ma décision est prise. Dites à votre sœur que je me sens privilégiée d'avoir pu m'occuper de Renata. Elle est tellement adorable, ajouta Bliss dont les yeux se remplirent de larmes.

— Mais vous pleurez ! Pourquoi ? s'écria Dante en laissant tomber l'enveloppe par terre pour essuyer doucement les larmes qui coulaient sur les joues de la jeune femme.

— Je me comporte comme une idiote, murmura-t-elle

d'une voix tremblante. Partez, je vous en supplie. J'ai besoin d'être seule.

Si la seule présence de Dante suffisait à la troubler à ce point, que deviendrait-elle s'il lui prodiguait des marques de réconfort ? Le seul contact de ses doigts sur sa joue avait suffi à provoquer en elle une onde de désir presque douloureuse qui la brûlait maintenant tout entière.

— Vous n'avez rien d'une idiote, Bliss. Vous êtes remarquable et si belle… *bellissima*.

— Taisez-vous ! lança-t-elle. Arrêtez tous ces compliments !

— Pourquoi voulez-vous m'empêcher de dire la vérité ? A moins que vous ne m'embrassiez pour m'en empêcher, je continuerai à la dire avec toute la passion que je ressens, jusqu'à ce que vous ne mettiez plus ma sincérité en doute.

— Je ne veux pas…

En sentant la bouche de Dante se poser avec fièvre sur la sienne, Bliss eut la sensation que le mur sur lequel elle s'appuyait devenait liquide. L'impérieuse avidité de ses lèvres l'empêchaient de penser à autre chose qu'au désir grandissant qui l'avait envahie. Désormais, elle n'aspirait plus qu'à appartenir à cet homme… Les mains crispées sur la veste de Dante dont les doigts glissaient lentement vers sa taille, elle se mit à trembler. Il l'attira plus étroitement à lui pour approfondir son baiser.

Dante fit ensuite courir ses lèvres sur le cou de Bliss, avant de déchirer le chemisier de la jeune femme sans se soucier d'en défaire un à un les boutons.

Trop émue pour songer à protester, Bliss se cabra contre lui, avide de sentir le contact de sa peau douce et brûlante contre la sienne. Dans un souffle haletant, il lui murmura à l'oreille quelques mots en italien. Puis il écarta impatiemment le soutien-gorge de dentelle et posa ses mains hâlées sur ses seins laiteux aux bouts durcis par le désir. Elle gémit doucement sous ses caresses. En sentant la bouche de Dante descendre vers sa poitrine, elle fut traversée par des ondes de plaisir.

— Où est ta chambre ? demanda-t-il en plongeant dans ses yeux un regard possessif.

Pour Dante, plus rien ne comptait désormais pour lui que le désir fou de la posséder.

Sans un mot, Bliss se dirigea vers sa chambre.

Quand il la rejoignit sur le seuil, il s'était déjà débarrassé de sa veste et de ses chaussures, et avait ouvert sa chemise sur son torse aux muscles puissants. D'une main tremblante, le souffle court, elle ôta ce qui lui restait de vêtements. Entre eux, l'air semblait chargé d'un courant presque palpable. Malgré son manque d'expérience, elle se sentait sereine, tant le désir qu'elle éprouvait pour Dante lui semblait naturel. Il ne lui restait qu'à le suivre là où il voudrait l'emmener. Elle se savait prête à s'en remettre totalement à lui.

Comme fascinée par la beauté virile de son corps, elle admirait son torse large et bronzé, aux muscles bien dessinés sous une légère toison brune. Quand il s'approcha d'elle, un sourire plein de sensualité aux lèvres, un frisson la parcourut tout entière. Rapidement, il se débarrassa du reste de ses vêtements avant de la rejoindre au bord du lit. Là, il l'étendit doucement sur les oreillers.

Quand il la vit allongée, vêtue d'une simple culotte de soie et de dentelle noire qui mettait merveilleusement en valeur ses courbes parfaites, Dante sentit son désir s'accroître encore. Les battements de son cœur s'accélérèrent. Le corps de Bliss était une invitation au plaisir sensuel, qu'accentuait encore son innocence délicieuse.

Il fit lentement glisser sa culotte. Sous ses caresses de plus en plus précises, elle gémit doucement, ce qui excita Dante davantage encore. Il parcourut de ses lèvres le corps ravissant qui s'offrait à lui.

N'en pouvant plus, il plongea enfin au cœur de la féminité vibrante qui l'accueillit en se contractant doucement à son contact. La douceur et le goût de la peau de Bliss le plongeaient dans un ravissement proche de l'extase. Plus il la caressait et l'embrassait, moins il se sentait rassasié d'elle, tel un homme qui a dû jeûner pendant si longtemps qu'il ne parvient plus à assouvir la faim qui le tourmente.

Bliss gémit. Elle ressentait un plaisir d'une intensité presque insupportable, comme si elle avait enfin trouvé l'homme qu'elle recherchait inconsciemment depuis toujours. Sous ce regard qui semblait lire à l'intérieur d'elle-même, elle avait l'impression de renaître. Sous ses caresses, sa féminité s'épanouissait enfin. Elle se sentait belle et épanouie parce qu'il la désirait.

Elle se mit à onduler des hanches au rythme du corps de Dante. Quand le plaisir déferla sur elle en vagues successives, elle se laissa simplement aller, emportée par la force de ses sensations. Avant que son cœur n'ait repris son rythme normal, Dante la rejoignit dans l'extase.

Comme il s'écartait d'elle, un sourire comblé aux lèvres, le cœur de Bliss bondit soudain dans sa poitrine lorsqu'elle mesura les conséquences de l'acte qu'ils venaient d'accomplir.

— Dante ! Tu n'as pris aucune précaution ! Je ne prends pas la pilule…

Il se redressa sur un coude.

— Excuse-moi, Bliss, mais c'est arrivé de façon si naturelle. Je te jure que ta santé ne court aucun autre risque, mais je comprends que tu sois inquiète.

— Je suis convaincue que tout ira bien, répondit-elle en lui caressant tendrement les lèvres du bout des doigts.

S'emparant de sa main, il la porta à sa bouche pour en embrasser la paume.

— Tu m'as donné tant de plaisir… Un plaisir qu'un homme n'oublie plus jamais une fois qu'il y a goûté.

Devait-elle le croire ? songea Bliss. Elle ne pouvait s'empêcher de ressentir de la jalousie, en imaginant toutes les femmes avec qui il avait fait l'amour avant elle. Pour sa part, avant lui, elle n'avait connu qu'un seul homme, un lycéen de dix-huit ans alors qu'elle en avait seize seulement. Il passait pour le Don Juan de l'école, et elle avait été fort surprise de constater qu'il était sincèrement amoureux d'elle. Quand elle l'avait quitté en prétendant avoir seulement voulu se débarrasser de sa virginité, il avait même pleuré. Ce qu'il ignorait, c'est qu'elle venait de perdre sa mère et qu'elle n'avait cherché, en s'offrant à lui, qu'à se convaincre qu'elle pouvait éprouver d'autres sensations que celle d'être prise dans un bloc de glace pour l'éternité.

— Tu me donnerais presque envie de te croire, dit-elle en posant la main sur le torse musclé de Dante. Mais c'est sans doute la dernière fois que nous nous voyons. Tu vas repartir en Italie, reprendre ta vie, et tu ne penseras plus à moi.

— Comment peux-tu dire une chose pareille ? protesta-t-il en s'asseyant sur le lit avant de poser la main sur le bras nu de Bliss qui ressentit un délicieux frisson. Tu crois que j'oublierai si aisément ce qui s'est passé entre nous, comme si cela n'avait aucune importance ?

— Tu sais aussi bien que moi que cela ne peut nous mener nulle part, répliqua-t-elle avec calme, mais sans pouvoir dissimuler l'imperceptible tremblement de son menton. Soyons réalistes. Tu dois rentrer chez toi. Quant à moi, je vais devoir trouver un nouveau travail. Enfin… Il ne faut pas que tu te fasses de souci. Ni toi, ni moi ne sommes à la recherche d'une relation stable. Mieux vaut donc ne pas chercher à nous revoir.

Déçu et irrité, Dante se demanda si elle était sincère. Comment pouvait-elle faire si peu de cas de l'étreinte passionnée qu'ils venaient de vivre ? Pour sa part, il ressentait presque cela comme un sacrilège. Si elle s'était attendue à le voir s'éloigner sans un regard, elle était loin du compte : jamais il n'avait fait l'amour à la légère. Encore moins aujourd'hui alors qu'il sentait que son attirance pour Bliss allait bien au-delà du simple désir physique.

— Non, Bliss. Je ne peux supporter l'idée de ne plus te revoir. Même si je dois partir en Italie, je reviendrai. Pourquoi ne pas nous revoir de temps en temps quand je serai à Londres ?

— Tu y tiens donc vraiment ? Personnellement je ne crois pas que…

Il la fit taire d'un baiser passionné.

— Sois certaine que je veux absolument te revoir. Mais maintenant, je dois partir, comme tu le sais. Pardonne-moi, *dolcezza*. Je te jure que nous nous retrouverons bientôt.

En le sentant s'écarter d'elle, Bliss sentit son cœur se glacer. Elle ressentit un déchirement douloureux quand il ramassa ses vêtements tombés au pied du lit et se rhabilla. Pourtant, elle aurait dû être satisfaite qu'il ne se comporte pas comme un play-boy arrogant et indifférent. Elle avait du mal à croire qu'il ait vraiment l'intention de la revoir. D'ailleurs, même s'il était sincère aujourd'hui, qu'adviendrait-il une fois qu'il aurait retrouvé l'Italie et ses habitudes de milliardaire ? Mieux valait se comporter comme les femmes sophistiquées qu'il fréquentait d'habitude et le laisser s'éloigner sans rien attendre de plus. Même si elle devait en avoir le cœur brisé.

— Bliss ? dit-il tout en boutonnant sa chemise.

Étendue sur le lit, avec ses cheveux ébouriffés et ses épaules nues, elle était belle à damner un saint. Dante dut se retenir à deux mains pour s'empêcher de venir la rejoindre.

— Je te le répète, reprit-il, je reviendrai dès que possible.

Les lèvres serrées, Bliss remonta les couvertures sur sa poitrine avant d'acquiescer de la tête. Qu'elle le croie ou non, elle ne pourrait s'empêcher de l'attendre, elle le savait. Jamais elle n'oublierait sa beauté virile et la sensation de sécurité qu'elle avait ressentie au creux de ses bras. D'une certaine façon, elle se sentait désormais protégée par la promesse qu'il lui avait faite et elle en était profondément troublée. Mais n'était-ce pas se livrer à de vaines espérances ? Qu'allait-elle devenir s'il ne se manifestait plus jamais ?

— Dante ?

— Oui ? dit-il en lui jetant un dernier regard.

— S'il te plaît, embrasse Renata de ma part quand tu la verras.

— Bien sûr, dit-il avant de tourner abruptement les talons.

6.

Comme l'affluence commençait à diminuer en cette fin d'après-midi, Bliss en profita pour faire une pause et observer dans un miroir ses yeux brillants et ses joues trop roses. Depuis le matin, elle ne se sentait pas en forme. Elle s'était réveillée avec la gorge douloureuse, fiévreuse et frissonnante, mais avait résolu d'ignorer ces symptômes pour se rendre à son travail. Et maintenant, à 17 heures, il était clair que sa température avait monté. Pourvu que ce ne soit qu'un rhume ! La semaine suivante, elle devait commencer à travailler comme réceptionniste dans un centre de psychothérapie et de relaxation qui venait d'ouvrir à côté de chez elle. Elle s'était dit que là-bas, au moins, elle se sentirait utile. L'environnement y était calme et des haut-parleurs diffusaient en permanence une musique apaisante destinée à rasséréner les patients et à leur faire oublier le stress du monde extérieur. Certes, ce n'était sûrement pas le point de départ d'une carrière éblouissante, mais elle avait au moins la perspective d'apporter son aide à des gens qui en avaient besoin. Quant au salaire, il était également assez intéressant.

Elle allait se détourner du miroir quand elle éprouva soudain dans la poitrine une sensation inquiétante, presque douloureuse. Inconsciemment, elle posa la main sur son ventre plat. Avisant le siège mis à la disposition des clientes qui désiraient un avis plus approfondi concernant leur maquillage, elle s'y laissa tomber, le cœur battant. L'idée qui l'obsédait depuis quelques jours et qu'elle tentait en vain de repousser lui revint de nouveau en tête.

Il y avait maintenant six semaines qu'elle avait fait l'amour avec Dante. Six semaines durant lesquelles il lui avait suffi d'évoquer les moments qu'ils avaient passés ensemble pour sentir une chaleur brûlante envahir de nouveau son corps… Comme elle le redoutait, en dépit de sa promesse, il ne lui avait pas fait signe. Il se trouvait sans doute encore en Italie, trop absorbé par son travail pour se souvenir d'elle.

Des larmes perlèrent aux yeux de Bliss à la pensée qu'elle s'était comportée de façon stupide, sans se soucier des conséquences de son acte. Des larmes de colère, d'ailleurs, plutôt que de chagrin ou de regret. Il s'était bien moqué d'elle et elle n'y pouvait rien.

« Mon Dieu, pourvu que je ne sois pas enceinte ! » songea-t-elle en fermant les yeux pour mieux supporter la détresse que faisait naître en elle cette supposition. Elle qui n'était pourtant pas du genre à fuir la réalité, voilà qu'elle s'était comportée en écervelée, réussissant à se convaincre qu'elle n'avait pas besoin de la pilule du lendemain.

— Que se passe-t-il, ma belle ? Tu ne te sens pas bien ?

Ouvrant les yeux, elle aperçut Trudy qui l'observait avec curiosité, debout à côté d'elle.

— Veux-tu que nous allions prendre un café après le travail ? proposa Bliss, trop heureuse de pouvoir partager ses craintes avec sa meilleure amie.

Même si elle n'avait d'autre envie que de se mettre au lit et d'y rester pour les jours à venir, elle savait qu'elle deviendrait folle si elle gardait pour elle son angoisse. Parler à Trudy, qui était souvent de bon conseil, lui avait toujours fait du bien.

— Rendez-vous au pub d'en face dans une demi-heure, répondit celle-ci.

— Donc il faut que tu prennes rapidement une décision ?

Bliss, qui n'avait pas encore touché à son café, fut soudain prise d'une nausée à la pensée d'en avaler la moindre goutte. Tout en tournant et retournant sa cuillère dans la tasse, elle tentait vainement de mettre un peu d'ordre dans les pensées qui se bousculaient dans sa tête.

— Prendre une décision ? Rapidement ? répéta-t-elle en faisant un effort désespéré pour se concentrer.

— Concernant l'enfant, Bliss. Tu ne m'as même pas écoutée.

— Mais si.

— Il va falloir que tu te décides, et sans attendre. Lundi, tu démarres un nouveau travail. Que vas-tu leur dire ?

— Inutile de s'affoler. Tant que je n'aurai pas fait de test, je ne suis pas sûre d'être enceinte.

Même à ses propres oreilles, sa voix manquait de conviction. Elle était enceinte de l'enfant de Dante, elle le savait. Le nier aurait été aussi infantile qu'irresponsable. Or elle s'était toujours targuée de refuser ce genre de comportement.

— Je n'envisage pas l'IVG.

Voilà. C'était dit. Elle avait enfin formulé à haute voix les mots qui l'obsédaient depuis une bonne demi-heure. Pourtant, elle se rendait bien compte des difficultés qui l'attendaient si elle décidait de devenir une mère célibataire. Toutefois, elle se sentait incapable d'interrompre cette grossesse. A cette pensée, tout son être se révulsait.

— Je savais que tu allais réagir de cette façon, murmura Trudy en lui prenant une main pour la serrer dans la sienne.

Sans chercher à la juger, Bliss sentait qu'elle acceptait sa décision.

— Cela risque d'être dur, tu sais. Et le père, cet Italien…

— Dante… murmura Bliss sans pouvoir s'empêcher de rougir à la simple évocation de ce nom. Excuse-moi, je ne me sens vraiment pas bien, il faut que j'aille aux toilettes.

Repoussant violemment sa chaise, elle se hâta vers le fond de la pièce, abandonnant Trudy qui lui lança un regard inquiet.

Comme il n'avait pas trouvé Bliss chez elle, Dante fit le tour de l'immeuble pour tenter de rassembler ses idées, se demandant où elle pouvait être et dans combien de temps elle rentrerait. Il avait tellement hâte de la revoir qu'il se refusait à croire qu'elle était en voyage ou même absente jusqu'au soir.

Tout au long du trajet depuis l'hôtel di Andrea de Belgravia, il n'avait cessé de penser à ce qu'il allait lui dire après ces six semaines d'absence. Inutile de chercher à s'excuser en alléguant les importantes négociations qu'il avait menées pour racheter deux nouveaux hôtels, l'un à Saint-Tropez et l'autre sur le lac de Côme, il s'en rendait bien compte…

Son père et lui avaient décidé de faire cadeau de l'hôtel de Côme à Tatiana. Malade, Antonio di Andrea rêvait de voir sa fille et sa petite-fille revenir à la maison, et il pensait y parvenir par ce biais. Dans le cadre magnifique du lac de

Côme, peut-être pourrait-elle surmonter la perte terrible qu'elle avait subie.

Tout occupé à aider son père à réaliser ses projets, Dante n'avait guère eu le temps, pendant la journée, de songer à Bliss Maguire et à cette matinée inoubliable où ils avaient fait l'amour. Mais la nuit, il s'était tourné et retourné dans son lit, le cœur et le corps brûlants à l'idée qu'elle aurait pu être là avec lui…

Après avoir garé sa Mercedes bleu sombre, il jeta un coup d'œil à sa montre, non sans prononcer quelques mots de frustration dans sa langue maternelle. 20 h 30 et toujours aucune trace de Bliss !

Soudain un taxi s'arrêta juste devant lui et la jeune femme en descendit, vêtue d'une courte veste de lin sur une jupe noire. Dante remarqua immédiatement qu'elle s'était fait couper les cheveux. Il la vit sourire et tendre un pourboire au chauffeur.

— Tu rentres bien tard, dit-il en la rejoignant.

En l'entendant, elle se tourna vers lui et une pâleur subite envahit son visage.

— Dante… Mais que fais-tu ici ?

— Je t'avais promis de revenir. Tu ne m'as pas cru ?

— Comment pourrais-tu me blâmer après six semaines sans la moindre nouvelle ?

— Je tiens toujours mes promesses. Si mon travail ne m'en avait pas empêché, je t'aurais contactée beaucoup plus vite, déclara-t-il, contrarié du peu de confiance qu'elle avait en lui.

— Comment vas-tu ? Et Tatiana et Renata ? demanda-t-elle sur un ton léger.

Bliss savait qu'elle devait à tout prix dissimuler le choc terrible qu'elle venait de ressentir en voyant Dante. Il paraissait

71

si sûr de lui et sa beauté, son élégance, semblaient si déplacées ici… Même si elle n'avait rien oublié de la séduction qui émanait de toute sa personne, elle se sentait bouleversée.

— Tatiana va mieux, répondit-il Quant à Renata, elle occupe sa mère à plein temps.

— Je suis heureuse de l'apprendre, car je me faisais du souci pour elles.

— Je suis content de te rassurer. Pouvons-nous entrer ?

— Entrer ? répéta Bliss, les doigts crispés sur la clé qu'elle serrait dans sa paume.

Elle avait l'impression que tout se brouillait dans sa tête et que son corps brûlait de fièvre. Elle sentait ses genoux vaciller à la simple idée de faire de nouveau entrer cet homme dans son intimité. D'autant qu'elle ne pouvait s'empêcher de penser à ce qui s'était produit la dernière fois…

— Il est tard et je suis très fatiguée, balbutia-t-elle. Pourquoi ne pas remettre cette conversation à demain ?

— Pas question. Laisse-moi prendre ton sac. Je vais le monter.

— Je peux parfaitement me débrouiller seule, lança-t-elle, contrariée par le ton protecteur qu'il avait adopté.

Elle se sentait bien trop vulnérable pour accepter de recevoir des ordres de quiconque et particulièrement de lui. Sur le trajet de retour, elle avait acheté un test de grossesse et s'était arrêtée chez Trudy où elle avait vu ses soupçons confirmés. En le voyant, maintenant qu'elle était certaine d'attendre un enfant de lui, elle était prise d'une véritable panique.

Remarquant la pâleur de cire qui s'était répandue sur le visage de la jeune femme, Dante s'approcha, inquiet, pour soulever le lourd sac de cuir qu'elle portait à l'épaule. D'une main ferme il la guida jusqu'à la cage d'escalier.

— Tu as l'air très fatigué, dit-il. Que t'arrive-t-il ?

Il lui prit la clé de la main. Après avoir ouvert la porte, il poussa Bliss dans l'entrée. Puis, se tournant vers elle, il l'examina d'un air suspicieux.

— Pourquoi as-tu coupé tes cheveux ?

— Je ne me sens pas très bien, murmura-t-elle.

Elle fit quelques pas dans le salon pour atteindre le canapé où elle se laissa tomber.

— Effectivement, tu n'as pas l'air en forme. Pourquoi es-tu allée travailler si tu te sentais si mal ?

Dante était sûr que la jeune femme avait de la fièvre. Elle qui s'était tant dévouée à Tatiana et Renata se retrouvait maintenant seule, sans personne pour s'inquiéter ni la soigner si elle était souffrante.

— Parce qu'il faut bien que je gagne ma vie, voilà tout.

Bliss aurait préféré éviter d'élever le ton, mais d'une certaine façon, la colère qui bouillonnait en elle lui permettait de juguler ses émotions qui devenaient de plus en plus envahissantes. Tout son corps aspirait à ce que Dante le prenne dans ses bras. Quelle pensée stupide ! Comment aurait-il accueilli cette preuve de faiblesse bien féminine ? Sans doute en tentant de s'échapper au plus vite ! Et si elle lui annonçait de surcroît qu'elle attendait un enfant ? Non, il fallait à tout prix éviter qu'il ne le devine.

— Tu as dîné ? demanda Dante en s'installant près d'elle sur le divan.

— Je n'ai pas faim. Quand es-tu rentré d'Italie ?

— Hier. J'ai passé la nuit à Belgravia.

— Dans l'hôtel qui appartient à ta famille ?

— Oui.

Jetant à la dérobée un regard au profil admirablement ciselé de Dante, Bliss dut s'avouer qu'il suffisait à cet homme de prononcer un mot pour que son cœur se mette à battre à tout rompre.

— Tu travailles trop, poursuivit-il. Pourquoi ne prendrais-tu pas des vacances avec moi en Italie ?

Cette proposition inattendue surprit tellement Bliss qu'elle fut prise d'une sorte de vertige et se retrouva au bord de la nausée, comme un peu plus tôt dans l'après-midi, au café. Craignant de ne plus pouvoir se contrôler, elle bondit vers la salle de bains, une main plaquée sur la bouche.

— Bliss ! Que se passe-t-il ? s'écria Dante en secouant violemment la porte qu'elle venait de verrouiller. Ouvre immédiatement ! Dis-moi ce qui ne va pas !

Quelques secondes plus tard, elle resurgit, le visage livide et les yeux pleins de larmes.

— Tu veux voir un médecin ? s'écria Dante, sentant monter en lui une angoisse qu'il n'avait jamais éprouvée jusqu'alors.

— Non. C'est inutile. J'ai un rhume, voilà tout.

Désespérée, Bliss souhaita qu'il se décide à partir au plus vite, de peur de voir s'effondrer toutes les résolutions qu'elle avait prises. Elle ne comprenait pas comment elle pouvait se sentir si faible et si vulnérable. Des défauts qu'elle exécrait particulièrement, elle qui avait toujours su que seule une force de caractère sans faille lui permettrait de survivre et de surmonter son passé.

— J'ai juste besoin de repos, reprit-elle. Peut-être ferais-tu mieux de me laisser.

— Quand je t'ai demandé de venir en vacances avec moi en Italie, tu ne m'as pas répondu, rétorqua sèchement Dante.

— A quoi bon ? soupira-t-elle. Tu crois peut-être que tu me dois quelque chose à cause de ce qui s'est passé entre nous ?

Mais rassure-toi, en ce qui me concerne, tu peux partir la conscience tranquille.

— Tu n'as pas non plus encaissé le chèque que je t'avais remis, dit-il avec irritation. Je considère ce refus comme un affront. Et maintenant, tu vas plus loin encore en suggérant que je veux t'emmener en vacances parce que je me sens coupable d'avoir fait l'amour avec toi. *Il mio Dio !*

— Je refuse de discuter.

Désolée de se sentir si faible, Bliss se laissa tomber sur le canapé sans même ôter sa veste.

— Et je n'ai jamais eu l'intention de te faire un affront, poursuivit-elle.

Dante serra les poings. Il pouvait lire des signes évidents de fatigue sur le visage de la jeune femme. En dépit de toute la frustration qu'il ressentait, il comprit qu'il devait prendre en main la situation.

— Nous reparlerons de tout cela plus tard. Maintenant, tu ferais mieux d'aller te coucher. Si demain matin tu ne te sens pas mieux, j'appellerai un médecin. Je préfère rester auprès de toi cette nuit, au cas où tu aurais besoin de moi, déclara-t-il.

Il dénoua sa luxueuse cravate de soie tout en regardant Bliss comme s'il s'attendait à ce qu'elle s'exécute sur l'heure.

La jeune femme lui jeta un regard abasourdi tout en sentant son estomac se nouer de plus belle.

— Tu ne parles pas sérieusement ? protesta-t-elle.

— Et pourquoi pas ?

— Je n'ai aucune envie de te voir rester. Si tu es guidé par ton sens des responsabilités, laisse-moi te dire qu'il est absolument déplacé. Je suis capable de me prendre en charge toute seule.

— Je ne partage pas cet avis.

Il ôta sa veste et la suspendit au dossier d'une chaise, sans quitter Bliss des yeux un instant.

— Inutile de t'entêter, Dante. Je veux que tu t'en ailles, s'écria la jeune femme, redoutant qu'il ne comprenne qu'elle était enceinte.

— Excuse-moi de m'opposer à toi sur ce point. Tu as pris soin de ma sœur quand elle en avait besoin. Le moins que je puisse faire est de te rendre la pareille. Ce canapé m'a l'air très confortable et je compte bien y passer la nuit.

Une fois encore, Bliss sentit son cœur se soulever et n'eut que le temps de courir vers la salle de bains. Depuis la mort de sa mère, jamais elle ne s'était sentie aussi mal.

7.

Bliss souleva le rideau et contempla l'aube maussade en soupirant. Elle regagna son lit d'un pas alourdi par la fatigue. A voir la couette et l'oreiller qui le couvraient, on aurait dit qu'une véritable bataille venait de s'y livrer et l'on comprenait aisément qu'elle n'avait guère dormi de la nuit. Elle se sentait absolument épuisée. Impossible d'envisager de se rendre à son travail…

La pensée que, de son côté, Dante avait sans doute passé une nuit affreuse sur son canapé ne la réconfortait guère. Aussi, pourquoi avait-il tant insisté pour rester ? Il fallait absolument qu'elle lui fasse comprendre qu'elle n'avait nul besoin d'un garde du corps… Il devait partir avant de se douter de l'état dans lequel elle se trouvait.

Tandis qu'elle nourrissait ces sombres pensées, Dante, après avoir longuement fouillé dans les placards de la cuisine, avait fini par dénicher du café et des tasses. Après avoir branché la cafetière, il s'étira longuement en faisant rouler sa tête d'un côté à l'autre pour tenter de débloquer son cou endolori. Mais même s'il n'avait guère fermé l'œil, il était si content d'être resté chez Bliss qu'il ne songeait pas à s'en plaindre.

A deux reprises au cours de la nuit, il avait passé la tête dans la chambre de la jeune femme qu'il avait trouvée complètement découverte, n'osant pas, toutefois, remonter ses couvertures car il craignait qu'elle n'ait de la fièvre. Sans se permettre de laisser son regard errer davantage sur les douces courbes de son corps, il avait espéré de tout son cœur que le lendemain, sa température serait revenue à la normale. Dans le cas contraire, il appellerait une amie de la famille qui pratiquait la médecine dans Harley Street pour lui demander son avis.

Mais à son avis, Bliss avait surtout besoin de vacances, et il espérait bien réussir à la convaincre de venir avec lui en Italie. Si elle prétendait ne pas pouvoir se libérer à cause de son travail, il lui assurerait qu'il lui trouverait un nouvel emploi à son retour. A dire vrai, il avait déjà songé à lui proposer un travail en Italie, pour la garder près de lui et la voir de façon plus régulière. Depuis qu'il l'avait quittée précipitamment après leur étreinte si passionnée, cette idée avait fait son chemin dans son esprit. Jamais encore, avec aucune autre femme, il n'avait senti déferler en lui un tel torrent d'émotions. Bliss faisait naître en lui un désir si brûlant qu'il lui suffisait de penser à elle pour sentir un trouble irrésistible envahir tout son corps.

— Je vois que tu as trouvé le café.

Enveloppée dans un mince peignoir de soie rose qui lui couvrait à peine les genoux, Bliss se tenait sur le seuil de la cuisine, les cheveux en désordre. Dante ne put s'empêcher d'admirer ses longues jambes et ses pieds nus aux ongles vernis de rose pâle.

— Tu as découvert mon seul vice caché : je suis absolument incapable de commencer une journée sans avoir avalé une tasse de café, reconnut-il en souriant. Tu en veux ?

— Non, merci, dit-elle en reculant d'un pas. Je… je préfère ne rien prendre ce matin.

Déjà, l'odeur puissante qui se dégageait de la cafetière fumante était parvenue aux narines de Bliss, lui donnant la nausée.

— Tu te sens toujours aussi mal ? demanda Dante.

Elle acquiesça de la tête, se sentant pourtant au bord du malaise, avant de quitter précipitamment la cuisine.

Cette fois, Dante réussit à atteindre la salle de bains en même temps qu'elle. Il lui prit doucement le menton et la força à se tourner vers lui.

— Je t'en prie, laisse-moi passer, balbutia-t-elle avec une telle impatience qu'il s'exécuta sur-le-champ.

— Bliss ! s'écria-t-il en voyant la porte se refermer violemment sur elle. Il faut que tu m'expliques ce qui t'arrive. Tu es gravement malade ? Je veux savoir la vérité !

Dante secoua anxieusement la porte verrouillée.

— Si tu n'ouvres pas tout de suite, j'enfonce cette porte. Tu m'entends ?

Pour toute réponse lui parvinrent des sanglots à demi couverts par des bruits d'eau.

— Bliss ! Ouvre tout de suite ! Sinon je…

Il s'arrêta brusquement en entendant qu'elle tirait le verrou. Tandis que la porte s'entrebâillait, il aperçut la jeune femme dont les yeux violets ressortaient démesurément sur la pâleur de son visage.

— Ça va mieux maintenant, murmura-t-elle.

Le prenait-elle vraiment pour un imbécile ? se demanda Dante, furieux.

— Tu vas arrêter de te moquer de moi ! répliqua-t-il.

— Je vais t'expliquer, souffla-t-elle. Laisse-moi seulement quelques minutes et je te rejoins dans la cuisine.

En remarquant la lueur de panique et de colère qui brillait dans les yeux verts de Dante, Bliss se sentit bouleversée.

De toute évidence, il la croyait atteinte d'une grave maladie et elle devait le détromper au plus vite. Ensuite, il pourrait rentrer tranquillement en Italie…

Soudain, elle sentit une main pleine de douceur se poser sur son épaule. Sans prononcer un mot, Dante remplit d'eau tiède le lavabo, fit asseoir la jeune femme sur un tabouret et, avec un coin de serviette, lui baigna le visage avant de le sécher délicatement. Bliss, qui n'avait pas éprouvé depuis sa toute petite enfance l'impression délicieuse d'être ainsi prise en charge, eut bien du mal à ne pas fondre en larmes.

— Merci, murmura-t-elle.

— Tu veux te brosser les dents ? demanda-t-il en lui tendant sa brosse sur laquelle il avait étalé un peu de dentifrice.

Elle s'exécuta, non sans jeter un coup d'œil dans le miroir : elle était livide.

— Ça va mieux ? s'enquit-il.

Tout en replaçant la brosse sur son support, Bliss se reprit à espérer que Dante n'allait plus tarder à partir. Elle n'avait aucune envie d'être de nouveau prise de nausée devant lui. Il fallait donc qu'elle imagine une histoire assez convaincante pour qu'il soit certain qu'elle n'était pas à l'article de la mort…

— Bien mieux, merci. Je vais m'habiller.

— *Giusto un momento…*

— Pardon ?

Brusquement, Bliss capta la direction du regard de Dante et vit qu'il avait remarqué le test de grossesse qu'elle avait jeté dans la corbeille en osier, après l'avoir rapporté de chez Trudy. Luttant contre l'évidence, elle avait préféré le garder avec elle pour l'examiner tout à loisir, comme si cela pouvait changer quoi que ce soit. Comment avait-elle pu se montrer aussi stupide ?

Dante était furieux. Oui, Bliss l'avait pris pour un idiot ! La pâleur de son visage, ses nausées… Elle n'était pas malade, elle attendait un enfant. Et cet enfant ne pouvait être que de lui.

— Tu es enceinte ?

Le cœur de Bliss se mit à battre à un tel rythme qu'elle dut se rasseoir pour ne pas tomber.

— J'allais t'en parler…

— Je ne te crois pas, répliqua-t-il d'un ton dur. Pourquoi, dans ce cas, ne m'as-tu pas mis au courant hier, quand je suis arrivé ?

Il s'interrompit un instant.

— Tu as l'intention d'avorter, n'est-ce pas ? s'exclama-t-il, tremblant de rage.

Il aurait voulu la prendre par les épaules et la secouer, pour l'obliger à lui avouer la vérité, tant son instinct de protection était déjà grand vis-à-vis de cet enfant à naître.

— Pas du tout ! protesta-t-elle. Comment peux-tu penser une chose pareille alors que tu ne sais absolument rien de moi ?

— En tout cas, tu étais déterminée à me dissimuler ton état, et tu m'aurais laissé partir sans rien dire. Il est pourtant de moi, n'est-ce pas, Bliss ? Jamais tu ne pourras me faire croire que tu as connu un autre homme si vite après avoir fait l'amour avec moi.

Bliss baissa les yeux. Au moins, se dit-elle, il ne l'accusait pas d'être une fille facile. Comme s'il devinait qu'après ce qu'elle avait connu avec lui, aucun autre homme n'aurait réussi à la séduire.

— Je ne m'en suis rendu compte qu'hier, Dante, murmura-t-elle. Jusque-là, j'étais loin de m'imaginer que j'étais enceinte…

A présent, Bliss se sentait honteuse d'avoir cherché à nier l'évidence et de s'être menti à elle-même, tout comme elle avait voulu mentir à Dante. Mais tout s'était passé si vite et de façon si inattendue…

Parce qu'elle avait grandi dans une atmosphère chaotique, elle avait voulu construire sa vie d'adulte sur l'ordre et le contrôle de soi. Pourtant, le matin où elle s'était donnée à Dante, tous ces beaux principes avaient volé en éclats, elle était bien forcée de le reconnaître. Et alors qu'elle s'était convaincue qu'il s'agissait d'un moment d'égarement, elle devait faire face désormais aux conséquences de cet acte.

— Il faut que nous discutions des décisions que nous allons prendre, dit-il sur un ton si assuré que Bliss comprit qu'il savait déjà où il voulait en venir.

— Je veux garder cet enfant, dit-elle avec fermeté. Naturellement, tu auras un droit de visite.

— Non !

D'instinct, Dante se révoltait à l'idée d'être exclu, exactement comme il l'avait été dans son enfance, au point de se sentir différent des autres et même indigne d'être aimé. D'ailleurs, comment Bliss pourrait-elle assumer seule cette énorme responsabilité ? Il suffisait de poser les yeux sur son appartement pour constater que son cadre de vie manquait cruellement de confort. Jamais il ne la laisserait vivre ici avec son enfant… A l'idée qu'elle pourrait par la suite rencontrer un autre homme qui l'aiderait à élever leur enfant, Dante sentit les battements de son cœur s'accélérer, en dépit de tous ses efforts pour se contrôler. Non, son histoire ne pouvait pas se répéter ainsi…

— Comment ça ? répéta Bliss en croisant les mains pour tenter de dissimuler leur tremblement convulsif.

— Pas question de droit de visite. A moins que tu ne veuilles affronter les avocats les plus expérimentés dans ce domaine. Car jamais je ne supporterai d'avoir à demander l'autorisation de voir mon enfant ! Cet enfant, nous avons été deux à le faire, et j'ai la ferme intention d'assumer son éducation, tout autant que toi. Nous allons nous marier et partir vivre en Italie. Je n'envisage pas d'autre solution, *capisci* ?

N'en croyant pas ses oreilles, Bliss resta bouche bée. Quand ils s'étaient séparés, six semaines plus tôt, bien qu'il lui ait fait part de son désir de la revoir, elle n'avait pas voulu le croire. Et voilà qu'aujourd'hui, alors qu'elle était enceinte, il exigeait de l'épouser. Agissait-il par sens du devoir ou, pire, poussé par un sentiment de culpabilité ? Un mariage conclu dans ces circonstances ne pouvait que tourner au désastre, elle en était sûre.

— Un instant ! s'écria-t-elle en se levant. Je n'ai pas l'intention de me marier, je t'ai déjà dit pourquoi. Tu ne peux pas m'y obliger. Ma vie m'appartient et je suis libre d'en décider à ma guise.

— Demande-toi plutôt pourquoi tu es si pressée de refuser, rétorqua Dante en plongeant son regard dans celui de la jeune femme. As-tu pensé à toutes les difficultés que tu vas rencontrer si tu l'élèves seule ? Je suis riche, très riche, et je tiens à assumer mes responsabilités. Ce serait stupide de ta part de refuser à notre enfant une éducation harmonieuse entre deux parents dévoués à son bonheur. N'es-tu pas d'accord ?

Sans répondre, elle se contenta de croiser les bras sur sa poitrine.

— Il faut vaincre tes réticences, reprit-il, pour le bien de cet enfant. D'ailleurs, tu peux y trouver toi-même certains avantages. Je possède une belle maison à Rome et un splendide appartement à Milan. Jamais plus tu n'auras à faire un travail que tu n'aimes pas. Cela ne vaut-il pas un petit sacrifice ?

Comment pouvait-il penser qu'elle considérait le fait de l'épouser comme un sacrifice ? songea Bliss. Il n'avait donc aucune idée de la force des sentiments qu'elle éprouvait à son égard… Un mois plus tôt, la simple idée d'une liaison avec lui l'avait emplie de joie. Mais aujourd'hui, il n'était plus question de ça. S'il lui proposait le mariage, ce n'était que pour se comporter correctement vis-à-vis de l'enfant. Jamais il n'avait prétendu éprouver le moindre sentiment à son égard.

— Pourquoi es-tu revenu ? lança-t-elle, se sentant soudain très vulnérable.

Elle n'avait plus qu'un seul désir en cet instant, échapper au pouvoir de ces yeux verts qui la clouaient au sol. Il lui fallait retrouver son calme pour envisager la situation avec un semblant d'objectivité, ce dont elle se sentait absolument incapable tant qu'elle se trouvait dans la même pièce que Dante.

— J'ai adoré faire l'amour avec toi, tu sais, répondit-il avec un petit sourire. Quand un homme fait ce genre de rencontre, il a forcément envie de revenir.

— C'est donc pour cette raison ? demanda-t-elle, surprise, tandis qu'une onde de désir presque douloureuse se répandait au creux de ses reins.

Sous le regard insistant de Dante, elle avait maintenant l'impression d'être presque nue.

— Ne fais pas semblant d'en être offensée, Bliss. Tu es si belle, si sensuelle, cela ne doit pas t'étonner.

Embarrassée, Bliss baissa les yeux, dévorée à la fois de crainte et de désir à la pensée de devenir l'épouse d'un homme comme Dante di Andrea. Se sentant dangereusement faiblir, elle tenta de se reprendre. Jamais elle n'accepterait de se marier. Tous les mariages qu'elle avait connus s'étaient terminés par des échecs, à commencer par celui, désastreux, de ses parents.

— Je te répète que je ne me marierai pas, affirma-t-elle.

Jamais. Mais cela ne nous empêche pas de nous comporter en parents responsables. Des tas de gens...

— Je me moque bien des autres ! s'écria Dante sur un ton exaspéré. Nous avons conçu un bébé, toi et moi, et je veux en assumer la pleine responsabilité. Tu crois que je vais rentrer dans ma famille en Italie, et leur annoncer que j'ai abandonné la future mère de mon enfant en Angleterre ? J'ai une réputation à soutenir et jamais je ne la compromettrai parce qu'il t'a pris la fantaisie de te comporter de façon totalement irresponsable !

— Je ne me comporte pas de façon irresponsable ! Essaie de réfléchir : nous nous connaissons à peine et il faudrait que j'abandonne tout pour te suivre en Italie.

— En vivant ensemble, nous apprendrons à mieux nous connaître, déclara Dante. Je vais prendre des vacances pour avoir plus de temps à te consacrer. Tu ne manqueras de rien, je m'y engage.

— Ma vie est ici ! Lundi prochain, je dois commencer un nouveau travail.

Il secoua la tête avec agacement.

— Tu ne te poses jamais de questions sur la vie que tu mènes ici ? Tu n'as pas même de famille pour t'aider. Moi, je te propose une vie mille fois plus agréable. Si ta mère était encore là, si tu savais où se trouve ton père, crois-tu qu'ils seraient heureux d'apprendre que tu vas donner le jour à un enfant illégitime et te battre tout le reste de ton existence pour lui assurer un toit ?

Malgré la lueur d'espoir qu'elle ne pouvait s'empêcher de garder au fond du cœur, Bliss n'était pas prête à revenir sur sa décision.

— Mes parents avaient trop à faire avec leurs propres difficultés pour se faire du souci pour moi, dit-elle. Alors, que je reste ici ou que je déménage à l'autre bout de la planète, je crois que ça n'aurait rien changé pour eux.

En lisant la détresse sur le visage de la jeune femme, Dante comprit qu'une fois de plus, les fantômes de son enfance resurgissaient. En soupirant, il tenta de ravaler sa colère. Car il n'avait qu'un seul désir : prouver à Bliss qu'elle ne saurait trouver meilleur mari et meilleur père que lui. Comment pouvait-elle choisir de continuer à mener une existence aussi difficile, alors qu'il lui proposait de vivre avec lui en Italie dans un univers privilégié ? Sans parler du désir physique évident qu'ils ressentaient l'un pour l'autre... Même s'il ne se sentait pas encore capable de lui ouvrir totalement son cœur, il faudrait bien qu'elle lui fasse confiance.

— Excuse-moi, murmura-t-il.

— Ce n'est pas grave, répondit-elle en haussant les épaules.

Bliss se retint pour ne pas céder au désir de s'abandonner à la sollicitude de Dante. Mais elle n'avait que faire de sa pitié ni de son aide, si elle devait les payer de son indépendance.

— Tu sais, je ne suis pas la seule à avoir eu une enfance difficile, reprit-elle.

— Peut-être, mais je ne veux pas que notre enfant souffre de la même façon. Il passera toujours en premier.

— Je ne mets pas en doute ta sincérité, mais...

— Il n'y a pas de « mais », coupa-t-il en plongeant dans les yeux de Bliss un regard farouche. Dès maintenant, je prends tout en charge. Et pas question pour toi d'aller travailler lundi. Appelle-les tout de suite pour les avertir que tu as changé d'avis.

8.

Après avoir passé quelques coups de téléphone, Dante revint dans la chambre où Bliss était en train de plier des vêtements. Bien qu'elle lui tournât le dos, elle semblait si accablée que son premier mouvement fut de la prendre dans ses bras pour la réconforter. Il s'abstint cependant, redoutant de commettre un impair. Nul doute qu'elle devait être la proie de sentiments contradictoires. D'autant plus que la perspective de se marier devait lui semblait mettre fin à tous ses projets d'indépendance.

Il était lui-même surpris de réagir de manière si passionnée à la pensée de l'épouser. Des femmes, il en avait connu beaucoup, trouvant tout naturel l'intérêt qu'elles lui portaient. Mais jamais il ne s'était imaginé passer le reste de sa vie avec aucune d'elles. Alors qu'aujourd'hui, depuis qu'il avait découvert que Bliss était enceinte, son désir de la protéger était devenu immense.

— Tout est réglé, annonça-t-il. Cet après-midi, tu vas venir t'installer dans notre hôtel de Belgravia. Tu n'as qu'à emporter quelques vêtements : on te fournira là-bas tout ce dont tu peux avoir besoin.

— Comment ? s'écria Bliss sur un ton de protestation incrédule. Excuse-moi de vouloir exercer un tant soit peu mon libre arbitre, mais je te rappelle que je ne t'ai pas encore donné de réponse. Ne crois pas que je vais t'accompagner à Belgravia ou en Italie pour la simple raison que tu en auras décidé ainsi. Je suis une femme indépendante. Même si cet appartement n'a pas grand-chose à voir avec celui de ta sœur à Chelsea, c'est chez moi et il me plaît. Rien n'a encore été décidé entre nous et rien ne le sera si tu persistes à te comporter en dictateur vis-à-vis de moi.

Dante se contenta de hausser les épaules.

— Je ne comprends pas que tu sois offensée alors que je ne me préoccupe que de toi et de notre futur bébé. Tu te sentiras forcément beaucoup mieux dans notre hôtel qu'ici. Sois honnête, Bliss, ce n'est pas un environnement convenable pour une jeune femme enceinte. Je manquerais à tous mes devoirs de futur mari et de futur père si j'acceptais que tu vives ici.

— C'est pourtant le lot de toutes les femmes célibataires du quartier, enceintes ou pas, au cas où tu l'ignorerais.

— Peut-être. Mais nous allons nous marier le plus vite possible. C'est le désir de mon père et de ma mère, tout comme le mien.

— Vraiment ? lança-t-elle en le fusillant du regard. Mais pour qui te prends-tu ? Et mon désir à moi, qu'en fais-tu ? Après tout, c'est moi qui porte cet enfant, c'est dans mon corps qu'il grandit, pas dans le tien ni dans celui de ton père ou de ta mère !

— Assez ! cria-t-il. Tu te laisses dominer par tes émotions. Compte tenu des circonstances, ton prétendu désir d'indépendance est ridicule. Tu n'as plus de famille pour t'aider, et il est normal que je t'aide. Je te suggère de prendre le temps de te calmer et de réfléchir. Pour l'instant, je dois retourner à l'hôtel pour y régler quelques affaires. Je reviendrai ensuite te chercher.

Au comble de la fureur, Bliss se demanda si cet homme avait une fois dans sa vie rencontré la moindre opposition. De son côté, son besoin impérieux de contrôler sa vie la poussait à se rebeller, même si elle commençait à admettre que Dante était animé à son égard des meilleures intentions.

Elle se sentait si fatiguée qu'elle doutait même de savoir prendre la bonne décision, aussi bien pour elle que pour son enfant. Au fond, Dante avait raison : ce n'était peut-être pas une mauvaise idée d'essayer d'envisager rationnellement — ce mot la faisait frémir — la situation.

— Très bien, je vais y réfléchir, dit-elle en s'asseyant sur le lit. Mais n'espère pas trop me faire changer d'avis. J'ai d'autres priorités. Mon indépendance, par exemple.

A sa grande surprise, le visage de Dante s'éclaira d'un sourire si sensuel et si troublant qu'elle sentit un trouble délicieux l'envahir.

— Je suis convaincu que tu feras le bon choix, dit-il. Jamais tu ne voudrais refuser à notre enfant le droit d'avoir un père et de commencer sa vie sous les meilleurs auspices.

Sans doute… Mais Bliss n'en était pas moins effrayée, ou plutôt terrorisée, à la pensée d'épouser Dante di Andrea qui semblait, du moins concernant les femmes, avoir adopté les idées plutôt réactionnaires du monde dans lequel il vivait. Un monde où les décisions revenaient en général aux hommes. Quelle place occuperait-elle dans la vie de Dante, tout entière dédiée au travail ? Prendrait-il en compte ses désirs à elle ? Elle n'en savait rien. Malgré ses doutes, la perspective d'emménager à l'hôtel avant de s'envoler pour l'Italie lui paraissait maintenant aussi folle que séduisante.

Ce dont elle était certaine, c'était qu'elle allait avoir un enfant dont l'avenir passait avant tout. Tenait-elle vraiment à ce qu'il connaisse des débuts difficiles auprès d'une mère qui aurait à peine les moyens de subvenir à leurs besoins à tous deux ? Elle avait déjà remarqué les visages aux traits fatigués et vieillis avant l'âge des mères célibataires qui vivaient dans le même immeuble qu'elle. Etait-ce réellement ce à quoi elle aspirait ? Pourquoi refuser la proposition de Dante, uniquement parce qu'elle avait juré qu'elle ne se marierait jamais ? Après tout, elle n'avait pas non plus prévu d'avoir un enfant, et le destin en avait décidé autrement…

Elle soupira.

— Je te promets de te faire part de ma décision à ton retour. Pour le moment, j'ai besoin de calme pour y réfléchir.

— Très bien, répondit Dante avant de se diriger vers la porte.

A peine arrivé à l'hôtel, Dante commanda des fleurs : d'énormes bouquets furent disposés dans la suite tandis qu'il arpentait les pièces pour débusquer la moindre imperfection. Il donnait des ordres précis à l'homme qui l'accompagnait : Guido Vaccaro, le directeur de l'hôtel, un jeune diplômé de Milan sanglé dans un costume impeccable, prenait des notes d'un air concentré.

Dante désirait rendre justice à la beauté et à la grâce de Bliss en lui offrant un cadre où elle puisse enfin s'épanouir. A la pensée qu'elle aurait pu passer sa grossesse dans les mornes blocs de béton où elle avait vécu jusque-là, son sang ne faisait qu'un tour. Il pria notamment Guido de faire disposer une demi-douzaine de parfums variés dans la salle de bains de marbre qu'il allait partager avec elle. Non seulement des classiques, mais encore des créations plus récentes pour qu'elle fasse son choix.

Quand tout lui sembla enfin digne de sa future épouse, Dante se retira dans son bureau pour appeler ses parents, puis Tatiana.

A l'autre bout de la ligne, il entendit sa sœur pousser un cri de joie.

— Comment ? Tu vas épouser Bliss Maguire ! La jeune fille qui s'est occupée de Renata ! Elle est merveilleuse ! Tu as donc fini par tomber amoureux pour de bon ? Je suis si heureuse !

A demi assourdi par les bruyantes manifestations de sympathie de Tatiana, Dante ne put cependant s'empêcher d'émettre *in petto* quelques réserves. Non, il n'était pas amoureux. D'ailleurs était-il vraiment capable d'aimer qui que ce soit en dehors des membres de sa famille proche ? L'amour lui avait depuis toujours semblé présenter trop de dangers. Certes, Bliss lui avait énormément manqué pendant ces six semaines de séparation, il le reconnaissait volontiers. Et maintenant qu'elle portait leur futur enfant… A cette pensée, il sentit une joie profonde l'envahir jusqu'au plus profond de son cœur.

— *Mamma* et *papà* ont réagi exactement comme toi, dit-il en riant, les yeux fixés sur un vase plein de freesias délicieusement parfumés. Je dois dire que je ne m'attendais pas à ce que mon mariage provoque de telles réactions d'enthousiasme.

— Comme si tu ignorais à quel point nous nous sentons tous concernés par ton bonheur ! Cela m'attriste que tu nous juges d'une telle indifférence à ton égard, déclara-t-elle d'un ton plus sérieux.

Le commentaire de sa sœur avait touché un point sensible

chez Dante. Il balaya cependant cette pointe de mélancolie avec détermination. Jamais il ne dévoilerait à quiconque ses secrètes faiblesses, pas même à sa sœur. Après son père, Antonio, il était le chef de la famille, et nul ne devait savoir à quel point il doutait de ses capacités à assumer cette responsabilité. Toute sa vie, il avait souffert de ses origines et de la façon dont, par sa faute, ses grands-parents avaient rejeté son père. Même Antonio ne s'était jamais douté du poids énorme qui pesait sur les épaules de son fils aîné. Et Dante espérait bien qu'il ne l'apprendrait jamais.

— J'ai une autre nouvelle à t'annoncer, *sorella piccola*. Je vais bientôt être père.

— Bliss attend un enfant ? s'exclama Tatiana. Pour quand ? Mais… cela signifie que vous étiez déjà ensemble quand elle s'est occupée de Renata ? Oh, Dante… C'est un accident ? Es-tu bien certain de vouloir l'épouser ?

— Mais oui, assura Dante, inquiet de l'anxiété qui avait envahi la voix de sa sœur. Je tiens absolument à me marier avec Bliss. Il n'y a aucun problème, je t'assure.

— Dans ce cas, je suis ravie. J'étais si triste… et voilà que tu m'apprends de si bonnes nouvelles ! *Mamma* et moi, nous allons nous occuper de Bliss, tu verras. Compte sur nous pour qu'elle soit la plus belle pour le jour de votre mariage. La date est fixée ?

D'après les renseignements qu'il avait obtenus, un délai de deux semaines était indispensable pour se marier au Royaume-Uni. Il ne lui restait donc plus qu'à convaincre Bliss de lui remettre les papiers nécessaires. Pourvu qu'elle accepte, se dit-il. Car il n'avait plus qu'une idée en tête : fonder une famille et assumer ses responsabilités vis-à-vis de son enfant.

— Dès que nous en aurons terminé avec les formalités

d'usage, je te tiendrai au courant. Mais je voulais aussi discuter avec toi de ton propre avenir.

— *Mamma* m'a dit que vous en aviez parlé, *papà* et toi. Il serait question que je retourne m'installer en Italie avec Renata, c'est ça ?

— Tu as quelque chose contre cette idée ?

— Non, répondit sa sœur sans pouvoir retenir un soupir. Depuis que j'ai perdu Matt, la famille me manque énormément. Mais nous pourrons en discuter plus tard, quand tu auras réglé les détails de ton mariage.

Soulagé d'avoir accompli au moins l'un des objectifs qu'il s'était fixés, Dante songea qu'il ne lui restait plus qu'à persuader Bliss de faire le bon choix : l'épouser.

Tout en contemplant le lit à baldaquin auprès duquel reposait sa modeste valise, Bliss tentait de reprendre ses esprits. Qu'était-il en train de lui arriver ? La veille encore, elle travaillait au rayon cosmétiques d'un grand magasin et vivait dans un petit appartement au cœur d'un quartier plus que modeste. Et voilà qu'elle venait de s'installer dans un luxueux hôtel de Belgravia avec la perspective d'épouser un richissime homme d'affaires italien dont elle attendait un enfant. Comme si elle avait été transportée d'un coup de baguette magique…

Mais en apercevant son visage dans le miroir de la coiffeuse, Bliss eut un mouvement de recul : dans son visage trop pâle, ses yeux cernés ressortaient avec une intensité presque inquiétante. Elle n'aurait pas su dire s'il fallait en accuser l'anxiété ou son état, mais elle était loin d'être au mieux de sa forme. Sans doute cela avait-il contribué à la faire céder si facilement aux exigences de Dante.

Dès qu'il avait été de retour chez elle, il lui avait une fois de plus énuméré toutes les bonnes raisons qu'elle avait de devenir sa femme, et en premier lieu pour offrir à leur enfant les meilleures chances. Bliss, qui n'avait pas d'autre désir, avait fini par se laisser convaincre. D'autant qu'elle se sentait soulagée à la pensée d'être enfin prise en charge, elle qui, depuis sa plus tendre enfance, avait dû assumer des responsabilités d'adulte. D'ailleurs, cela n'était peut-être pas sans rapport avec la fatigue intense qu'elle ressentait en ce moment et qui la privait de toute énergie.

Dante avait semblé très désireux d'obtenir son consentement. Et même si celui-ci ne l'aimait pas d'un amour véritable, Bliss savait qu'ils éprouvaient l'un pour l'autre une attirance indéniable. Même enceinte, il suffisait à la jeune femme de poser les yeux sur Dante pour se sentir défaillir, ce qui ne contribuait guère à lui faire envisager sa situation avec lucidité.

Le frottement étouffé de la porte sur l'épaisse moquette la fit tressaillir.

— Ne défais pas tes bagages maintenant si tu te sens fatiguée, dit Dante. Je vais appeler une femme de chambre qui s'en chargera.

Il avait ôté sa veste et retroussé les manches de sa chemise sur ses avant-bras bronzés, ce qui n'enlevait rien à sa séduction, bien au contraire. Pourtant, Bliss remarqua qu'un pli d'inquiétude crispait sa bouche : il n'était visiblement pas aussi à l'aise qu'il aurait souhaité le paraître.

— Je peux parfaitement m'en charger. Il suffit que je trouve mes repères, protesta Bliss avec un sourire contraint.

En fait, elle se sentait aussi empotée qu'une enfant de cinq ans. Mieux valait cependant ne pas révéler à Dante son embarras : si elle le lui avouait, il risquait d'en tirer avantage. Tout d'un coup, elle se demanda s'il avait l'intention de partager ce lit immense avec elle. A cette pensée, elle sentit son cœur s'affoler dans sa poitrine.

— Tu n'as besoin de rien ? s'enquit-il en jetant un regard inquiet à la ronde. Peut-être désires-tu te reposer un moment avant le dîner ? J'ai demandé qu'on nous le serve dans notre salon privé pour que nous puissions discuter en toute tranquillité. Et puis, nous nous sentirons plus à l'aise que dans la salle à manger qui risque d'être bondée.

Bliss retint un rire amer. Evidemment, avec la mine qu'elle avait ce soir, il valait mieux éviter qu'elle ne se montre en public. Sans doute était-ce pour cette raison qu'il avait rempli la salle de bains de parfums aussi coûteux. Une façon de lui rappeler que maintenant qu'elle vivait avec lui, il allait lui falloir tenir ce rôle de femme riche et désœuvrée qu'elle méprisait tant. Cette simple idée suffit à la faire sortir de ses gonds.

— Si tu préfères éviter d'avoir à te montrer en ma compagnie, dis-le franchement. Et puis, je te signale que tous ces parfums me rendent malade. C'est bien assez d'avoir eu à les supporter à longueur de journée quand je travaillais. Sache que ton argent et tout ce que tu peux acheter avec ne m'impressionne pas, et que tous tes cadeaux ne me feront pas changer d'un iota.

A peine eut-elle prononcé ces mots que Bliss les regretta. Pour se donner une contenance, elle ouvrit sa valise et en tira un pull. Il lui faudrait faire un petit effort pour soigner son apparence, ce soir. Car même si un jean et un T-shirt constituaient une tenue parfaite pour rester chez soi, ils ne s'accordaient guère au luxueux décor où elle devait évoluer à présent.

— Tu crois donc que j'ai honte de toi et que j'essaie de t'acheter ? dit Dante.

Il s'approcha d'elle et lui ôta des mains le pull qu'elle tenait. Il le jeta sur le lit.

La prenant délicatement mais fermement par le menton pour l'empêcher de détourner la tête, il plongea son regard dans celui de la jeune femme.

— Pourquoi tiens-tu des propos si blessants ? Et comment peux-tu avoir des idées pareilles ? Tu es la mère de mon enfant. J'ai commis une erreur en faisant monter ces parfums, mais je ne voulais pas t'offenser. Je ne cherche pas non plus à t'impressionner par ma richesse ni à te contraindre à quoi que ce soit. Je trouve cette idée insultante pour moi et, si je ne te savais pas enceinte, j'aurais bien du mal à garder mon calme.

En lisant la peur dans le regard de Bliss, Dante la lâcha brusquement avec un soupir d'exaspération. Il n'avait pas cherché à l'effrayer. Mais pourquoi n'arrivait-elle pas à comprendre qu'il n'avait qu'une idée en tête, leur assurer un bien-être total, à elle et au bébé ? En l'amenant ici, à l'hôtel, il n'avait aucune autre intention. Mais soudain, il sentit sa colère s'évanouir.

— Tu es si jeune et si belle, reprit-il avec plus de douceur. *Molto bella*, comme on dit en Italie. Comment pourrais-je ne pas être fier de toi ?

Levant les yeux vers lui, Bliss se sentit incapable de dissimuler son trouble. Lorsqu'il lui parlait de cette façon, il devenait irrésistible et plus rien ne comptait que le regard plein de désir qu'il posait sur elle.

— Je n'ai pas l'habitude d'évoluer dans le même milieu que toi, Dante, concéda-t-elle.

— J'aime ta façon de t'habiller, dit-il en suivant lentement du doigt le L du mot Love qui ornait le T-shirt de Bliss, tandis que sa voix devenait plus rauque. Mais si tu tiens à savoir la vérité, j'aime encore plus ce qu'il y a sous tes vêtements…

— Mais, Dante, nous…

— Chut ! murmura-t-il en lui posant un doigt sur la bouche, avant de prendre doucement les seins de la jeune femme dans ses mains.

Bliss sentit comme un ruisseau de feu descendre au creux de ses reins.

— Non, je t'en prie, Dante…

En voyant ses lèvres trembler et ses beaux yeux violets se voiler, Dante sut qu'elle lui demandait l'impossible. La beauté naturelle et innocente de la jeune femme le bouleversait. Mais soudain, il se souvint de l'enfant qui grandissait en elle et se dit qu'elle devait sans doute avoir davantage envie de se reposer que de faire l'amour. Pour cette nuit, mieux valait s'abstenir, mais demain… Il n'avait pas manqué de remarquer dans ses yeux le désir qu'avait fait naître sa caresse. Oui, pour cela au moins, il n'aurait aucun mal à la convaincre, il en était certain.

9.

Dante attendait que Bliss ressorte de la salle de bains pour lui parler de ses projets pour la journée. Depuis qu'il l'avait entendue quitter sa chambre précipitamment, une demi-heure plus tôt, il n'avait cessé d'arpenter le petit couloir qui menait à la salle de bains, en proie à la plus grande anxiété. Même quand il avait dû procéder aux négociations les plus ardues, jamais il ne s'était senti aussi nerveux. Du moins avait-il le sentiment de contrôler la situation. Mais concernant la grossesse de Bliss, comment aurait-il pu influer sur le cours des événements ?

Une fois de plus, il regretta l'absence de sa mère qui aurait sûrement su réconforter la jeune femme dans ces moments difficiles. Il se promit de faire tout ce qui était en son pouvoir pour l'aider à supporter les souffrances inhérentes à son état. D'ailleurs, il avait pris rendez-vous dès ce matin avec le médecin qu'il connaissait à Harley Street, Sandrine Lantain.

— Tu es déjà prêt, tu dois sortir ? lui demanda Bliss qui sortait enfin de la salle de bains.

Dante était vêtu d'un élégant costume coupé sur mesure qui mettait en valeur sa haute silhouette musclée. Comme toujours quand Bliss se laissait aller à l'observer, il lui semblait impossible de raisonner…

— Nous allons sortir tous les deux, répondit-il. Je t'emmène voir une amie de la famille qui exerce à Harley Street.

Ce matin, Bliss avait voulu faire un effort d'élégance. Elle avait enfilé un cardigan vert clair sur un jean étroit ceinturé de cuir fauve. Pour tout maquillage, elle s'était contentée de souligner ses yeux d'un imperceptible trait d'eye-liner, ajoutant simplement une touche de blush sur ses joues et un soupçon de gloss sur ses lèvres. Elle avait pris plus de temps que d'habitude pour se coiffer, et elle n'était pas mécontente du résultat de ses efforts. Mais en l'entendant parler de Harley Street, elle se sentit de nouveau envahie par la crainte.

— Qui est cette amie ? s'enquit-elle en fronçant les sourcils. Elle est médecin ?

— Ton état nécessite un bilan de santé approfondi.

— Merci beaucoup, mais je préfère consulter mon propre gynécologue, répondit Bliss qui n'avait guère envie de discuter des détails de sa grossesse avec Dante.

Elle s'était toujours sentie d'une nature assez secrète, et l'idée de devoir partager avec lui les secrets de sa vie intime ne lui disait rien, même s'il était le père de son enfant.

— Sandrine Lantain est obstétricienne, Bliss. Elle a suivi Tatiana quand elle attendait Renata. Il faut que tu acceptes qu'elle t'examine. Je suis inquiet de te voir si malade le matin et j'aimerais avoir son avis.

— Toutes les femmes enceintes doivent supporter ces petits inconvénients. Il n'y a rien de plus à en dire.

— Tu parles d'expérience, je suppose ?

Blessée par ce sarcasme, elle détourna la tête.

— Tu as peut-être pris l'habitude de négliger ta santé, reprit-il, irrité, en la prenant par le bras. Mais maintenant que tu attends un enfant, il va falloir que tu changes.

— Laisse-moi tranquille, lança-t-elle en se dégageant,

piquée au vif par la lueur dominatrice qu'elle avait vue s'allumer dans les yeux de Dante.

Elle avait l'impression d'être traitée comme une adolescente à qui on fait la leçon.

— Pourquoi me harcèles-tu ? Je ne t'ai pas demandé de revenir ! Si je veux élever cet enfant toute seule, à ma guise, tu n'as rien à dire. C'est moi qui le mettrai au monde et c'est moi qui en aurai la pleine responsabilité.

— Moi vivant, jamais ! cria Dante avec une telle détermination que Bliss sentit son sang se glacer dans ses veines.

En quelques secondes, elle venait de comprendre qu'elle ne pourrait pas s'en tirer à si bon compte avec Dante di Andrea, surtout s'il considérait que l'existence de leur enfant était en jeu.

— Je veux bien supporter ton agressivité et tes caprices, continua-t-il, mais il y a quand même des limites que je ne te permettrai pas de dépasser. Si tu parles encore une fois d'élever seule cet enfant, je te montrerai ce dont je suis capable pour t'en empêcher. En moins de temps qu'il ne m'en faudra pour te traîner en justice, c'est toi qui devras me supplier de t'accorder un droit de visite. *Capisci ?* Et ne va pas croire que je parle à la légère.

Ravalant ses craintes et sa colère, Bliss le défia silencieusement du regard tandis qu'il la dévisageait avec le petit sourire satisfait d'un homme habitué à vaincre toutes les résistances.

— Et maintenant, conclut-il, je vais te conduire chez Sandrine. Dépêche-toi de te préparer, j'ai déjà pris rendez-vous. Un chauffeur nous attend en bas.

Bliss allait protester, mais Dante lui avait déjà tourné le dos, comme s'il n'y avait pas là matière à la moindre discussion.

— Comment peux-tu te comporter de cette façon ? lança-t-elle. En ce qui me concerne, l'incident est loin d'être clos.

— Eh bien, il va pourtant falloir que tu t'habitues à ce que j'aie le dernier mot, rétorqua-t-il.

Tout en se rhabillant à la hâte dans le cabinet prévu à cet effet, Bliss dut s'avouer que Sandrine Lantain s'était montrée charmante à son égard. Très professionnelle, mais aussi très chaleureuse. Pourtant, en ce moment, elle regrettait presque son petit appartement et la vie qu'elle avait menée avant de rencontrer Dante. Bien sûr, celui-ci semblait fermement déterminer à tenir à la perfection son rôle de père et de mari. Et puis, épouser Dante était sans conteste un meilleur choix que celui d'élever son enfant toute seule.

Elle soupira. Peut-être Dante se rendrait-il compte avec le temps qu'elle pouvait être plus pour lui que la mère de son enfant ?

Sans cesser de remâcher ces pensées moroses, elle regagna la salle de consultation où la gynécologue et Dante discutaient.

— Tout va bien ? s'enquit ce dernier avec une pointe d'inquiétude dans la voix, en se levant pour l'aider à s'asseoir.

— Très bien, merci, répondit-elle d'un ton sec.

En sentant la façon dont elle réagissait au simple contact de sa main sur son bras, Bliss devait reconnaître qu'en face de Dante, sa marge de manœuvre était très réduite… Prise de panique, elle se dit qu'elle devait à tout prix prendre garde à ce qu'il ne prenne pas trop de place dans sa vie… et dans son cœur. Car les gens qui avaient compté pour elle avaient tous fini par lui faire défaut.

— Je regrette que vous soyez si malade le matin, intervint

Sandrine. Toutefois, il ne faut pas vous faire de souci, cela ne va pas durer plus de cinq ou six semaines. Pour le moment, je vous suggère de suivre un régime et de bien vous reposer. Je vous propose quelques médicaments homéopathiques qui vous aideront à mieux supporter ces petits tracas. En ce qui concerne la posologie, conformez-vous aux instructions figurant sur les étiquettes. Par ailleurs, vous êtes en excellente santé et votre grossesse devrait se dérouler sans incident.

— Dieu merci ! s'écria Dante en saisissant la main de Bliss pour la serrer dans la sienne avec un soupir de soulagement.

Elle sentit son cœur s'emballer de nouveau à la pensée que quelqu'un se souciait désormais d'elle. Mais tout aussitôt, la froide réalité vint mettre un terme à ces folles pensées : Dante s'intéressait à l'enfant, pas à elle. D'un geste presque brutal, elle se dégagea.

— Cela dit, reprit Sandrine Lantain, j'aurais un conseil à vous donner. Laissez-vous offrir des vacances en Italie par votre merveilleux futur mari. Je connais sa mère : Isabella se fera un plaisir de vous dorloter. Et revenez me voir après votre mariage.

Sans trouver la force de résister au sourire chaleureux et confiant que la jeune femme lui adressait, Bliss acquiesça avant de se lever. Avec un léger pincement de jalousie, elle vit Dante embrasser Sandrine Lantain sur les deux joues.

Lorsqu'ils se retrouvèrent sur le trottoir sous un soleil très inhabituel à Londres en cette saison, Dante prit le bras de la jeune femme. Après cette consultation, il devait lui faire part de ses projets.

— Sandrine a raison, commença-t-il, tout en sachant que Bliss allait lui en vouloir d'intervenir une fois encore dans sa vie. Tu as besoin de vacances. Dès que nous serons passés à la mairie, cet après-midi, je réserverai un vol pour Milan. Mes parents ont une maison de campagne à Varèse, l'endroit idéal pour te reposer. Si nous pouvons partir aujourd'hui, nous pourrons passer la nuit en ville, dans mon appartement. Puis nous irons à Varèse en voiture, demain matin.

Bliss se raidit avant de renoncer à toute discussion. Au fond, pourquoi ne pas s'offrir le luxe de quelques jours de répit et d'insouciance ? Il avait raison, tout comme Sandrine Lantain. Elle n'avait pu que trop rarement prendre de vraies vacances. Cela lui ferait le plus grand bien.

Ravalant l'indignation qui l'avait envahie devant sa conduite tyrannique, elle se força à sourire. Et lorsqu'il posa la main sur son épaule, elle n'eut pas la force de faire le moindre geste pour se dégager.

Tandis que la luxueuse Alfa Romeo filait silencieusement dans l'obscurité de la nuit italienne, Bliss s'abandonnait au confort de son siège, à peine consciente de l'air d'opéra que diffusait la radio.

En définitive, ils pourraient dès cette nuit coucher dans la maison de Varèse. Quand Dante le lui avait annoncé, elle n'avait pu s'empêcher de ressentir une certaine appréhension. Comment allait se dérouler cette première rencontre avec ses futurs beaux-parents ? Accepteraient-ils cette femme qu'ils n'avaient jamais vue, eux qui devaient avoir déjà jeté leur dévolu sur une riche héritière digne de leur fils aîné ? Ne seraient-ils pas furieux d'apprendre qu'elle était enceinte et de voir leurs projets ruinés ?

En la sentant s'agiter à côté de lui, Dante lui jeta un coup d'œil inquiet.

— Quelque chose ne va pas ? Tu ne te sens pas bien ? Si tu veux, nous pouvons nous arrêter.

— Ce n'est rien. J'ai juste un peu soif, répondit-elle en saisissant la bouteille d'eau posée à ses pieds pour boire une gorgée d'eau. Tu en veux ?

Per amor del cielo ! gémit intérieurement Dante. Décidément, le moindre geste de Bliss suffisait à déclencher en lui une incontrôlable bouffée de désir. La voir poser sa bouche sensuelle sur la bouteille avait suffi à le troubler… Il lui devenait de plus en plus difficile de se concentrer sur le seul bien-être de la jeune femme. Avec sa chevelure brune tout emmêlée par le voyage, ses grands yeux violets un peu ensommeillés et ses lèvres un peu humides, elle était une incitation permanente au péché.

Délibérément, il concentra son attention sur la route qui serpentait maintenant à flanc de coteau, évitant de penser que ce soir peut-être, elle lui permettrait de partager son lit.

— Nous devrions arriver dans une petite heure. Je suis certain qu'Isabella nous aura attendus pour nous souhaiter la bienvenue.

— Isabella ? Tu veux dire ta mère ?

— *Sì*. Ma mère, dit-il en souriant à l'idée de revoir la femme qui l'avait élevé. Elle prétend qu'elle ne peut pas attendre demain pour te rencontrer. Mais depuis qu'il est tombé malade, papa, lui, doit se coucher très tôt.

Dans l'avion, Dante avait mis Bliss au courant des graves problèmes cardiaques qu'avait connus son père.

— Tu ne m'as pas dit comment tes parents avaient accueilli la nouvelle. Qu'ont-ils dit en apprenant que j'étais enceinte et que j'étais anglaise ?

— Enceinte de mon *bambino* ! rectifia-t-il en posant sur le ventre plat de Bliss un regard plein de fierté possessive.

Tu veux savoir comment cela va se passer, *cara* ? Eh bien, ils sont ravis de rencontrer leur future belle-fille. Cela fait des années qu'ils attendent que je me marie et voilà qu'enfin leur rêve le plus cher va s'accomplir.

— Et ça ne leur fait rien que je ne sois pas italienne, comme toi ?

Cette question innocente provoqua chez Dante un tel choc émotionnel qu'il contracta la mâchoire. En lui renaissait le sentiment si familier d'avoir usurpé la place qu'il occupait dans sa famille. Une pièce rapportée, voilà ce qu'il était… Il aurait voulu pouvoir partager ce secret avec Bliss et lui révéler qu'ils avaient peut-être plus d'ancêtres communs qu'elle ne le croyait. Mais une part de lui-même se refusait encore à dévoiler le douloureux mystère de ses origines. Le moment n'était pas venu de lui apprendre qu'il était le fruit d'une liaison qu'Antonio avait entretenue bien avant son actuel mariage. Bliss avait assez à faire avec la perspective de rencontrer sa nouvelle famille, et ce récit ne pouvait que la conforter dans sa crainte de se voir rejetée. Dante comprenait parfaitement son appréhension. Mais à en croire la réaction d'Isabella quand il lui avait annoncé la nouvelle au téléphone, la joie et l'enthousiasme de ses parents sauraient vite balayer les doutes de la jeune femme.

— Non, répondit-il, ils ne regrettent pas que tu ne sois pas italienne, je peux te le garantir.

— Dante ! *Mio figlio più amato* ! Comme je suis heureuse de te voir !

En sentant se refermer sur lui les bras de sa mère, Dante ne put s'empêcher de se sentir ému aux larmes. « Mon fils

106

préféré » avait-elle dit. Même s'il avait souvent entendu ces mots, ils avaient toujours le pouvoir de le ravir.

En revoyant le porche encadré de jasmin odorant, et la petite silhouette de sa mère, il se demanda si cette fois, il saurait faire taire ses doutes et profiter sans réserves de son séjour dans sa famille. Allait-il se sentir vraiment accepté, sans s'imaginer qu'on l'aimait moins que son frère ou sa sœur ? Peut-être la présence d'une jolie jeune femme à ses côtés l'aiderait-elle à faire entrer la paix dans son cœur ?

— *Mamma* ! s'exclama-t-il. Il est tard, tu n'aurais pas dû nous attendre.

Il embrassa Isabella sur les deux joues, tandis que celle-ci contemplait Bliss qui attendait à côté d'eux en silence.

— Bienvenue à toi aussi, ma fille. Entre, que je puisse te regarder à la lumière.

Raide d'appréhension, Bliss pénétra dans le hall à côté de Dante qui lui avait pris la main, comme pour la rassurer. Isabella, en dépit de sa petite taille et de ses formes un peu trop rondes, avait un visage d'une grande beauté, encadré de boucles brunes, et où resplendissaient des yeux aussi bleus que ceux de Tatiana. Et son sourire de *mamma* était si chaleureux que Bliss sentit bientôt la tension qui l'habitait se dénouer. Elle était touchée que cette femme qui ne la connaissait pas encore l'ait appelée « ma fille » et l'ait accueillie avec un enthousiasme qui attestait sa joie de voir son fils se marier.

— Je suis très heureuse de vous rencontrer, madame di Andrea.

— Appelle-moi *mamma,* puisque tu es désormais ma fille, tout autant que Tatiana ou Monica, la femme de Stefano, dit-elle avant de serrer Bliss contre elle sans plus de cérémonie et de l'embrasser sur les deux joues. Mon fils avait bien raison de me dire que tu étais *molto bella*. Mais je ne vais pas te tenir debout toute la nuit. Quand on attend un bébé, il faut se reposer le plus possible, surtout les premiers mois. Viens, je vais te montrer ta chambre et te préparer quelque chose de chaud avant que tu te couches. Demain matin, tu feras la connaissance de mon mari, Antonio. Et pendant le petit déjeuner, nous aurons tout le temps de parler de votre mariage.

En jetant un coup d'œil à Dante, Bliss vit que celui-ci la regardait d'un air possessif. Aussitôt, elle comprit qu'il avait bien l'intention de partager son lit cette nuit. Et son sang se mit à courir si vite dans ses veines qu'elle faillit presque rater la première marche de l'escalier.

Leur vaste chambre à coucher, au sol dallé de pierres blanches et aux murs décorés de fresques, était meublée à l'ancienne avec un vaste lit à baldaquin drapé de damas rose. Malgré son extrême fatigue, il semblait à Bliss qu'elle ne pouvait se rassasier de tant de beauté. Pendant que Dante allait chercher leurs valises, elle fit le tour de la pièce en examinant chaque objet avec la plus grande attention. Son regard fut attiré par un cadre en argent qui contenait une photo de Dante en compagnie d'un homme grisonnant, au sourire éblouissant. Ce devait être son père, Antonio. Elle le trouva très beau, et, en notant son expression chaleureuse et ouverte, elle se sentit plus rassurée à la perspective de le rencontrer le lendemain matin.

— J'ai dit à *mamma* de te faire chauffer un peu de lait. Cela te convient ? s'enquit Dante en entrant dans la pièce avec leurs deux valises qu'il déposa par terre.

En le voyant, Bliss se sentit prise d'une telle émotion

qu'elle chancela. En dépit du long voyage qu'ils avaient fait, il était toujours aussi séduisant. Alors qu'elle-même avait grand besoin d'un bon bain chaud.

— Ce sera parfait, merci, répondit-elle enfin. Mais je ne veux causer aucun dérangement.

— Quand tu connaîtras mieux Isabella, tu sauras qu'elle a besoin de se mettre en quatre pour ses enfants, répondit-il avant de laisser son regard glisser le long des cuisses de la jeune femme.

— Mais je ne suis pas sa fille, protesta Bliss. Elle me connaît à peine.

— Il faudra bien que tu t'habitues à sa façon de te mater-ner... surtout maintenant qu'elle sait que tu vas lui donner un petit-fils, répondit-il en s'approchant d'elle sans cesser de l'examiner avec une troublante intensité.

— Pourquoi... pourquoi me regardes-tu de cette façon ? balbutia-t-elle, paralysée par le mystérieux pouvoir de ses yeux verts d'où émanait un désir presque hypnotique.

— Le voyage ne t'a pas trop fatiguée ?

— Que signifie cette question ? murmura-t-elle d'une voix soudain plus rauque.

Autour d'elle, elle avait l'impression que l'atmosphère devenait électrique.

— Tu n'en as vraiment aucune idée ? répondit-il en la prenant doucement par le cou avant de laisser ses doigts glisser lentement le long de sa gorge dans une caresse sensuelle.

Bliss se lova contre lui sans pouvoir retenir un gémissement de plaisir. Pourtant, une pensée insidieuse ne cessait de la tarauder depuis qu'ils étaient arrivés.

— C'est... c'est dans cette chambre que tu as coutume

de séjourner quand tu rends visite à tes parents ? finit-elle par demander.

— Mais oui. Pourquoi cette question ?

— Et quand tu viens ici, tu emmènes souvent des… amies ?

La main de Dante remonta soudain de la gorge de Bliss à son épaule tandis qu'une lueur énigmatique s'allumait dans ses yeux fascinants.

— Jamais aucune d'elles n'a pénétré dans cette maison, Bliss. Tout cela se passait dans mon appartement de Milan.

— Et tes parents ne seront pas choqués que nous partagions la même chambre avant notre mariage ? s'enquit Bliss, qui préférait ne pas s'attarder sur les aventures passées de son futur mari.

Dante fronça les sourcils. Même s'il comprenait que Bliss prenne en compte l'opinion de ses parents, il se sentait frustré. Cherchait-elle à l'éloigner ?

— Franchement, je crois que ça leur est égal. Sinon, *mamma* n'aurait pas fait monter nos deux valises dans la même chambre. Et puis, ajouta-t-il en fixant son ventre plat d'un air éloquent, il est un peu tard pour de tels scrupules, tu ne penses pas ?

Offensée par ces paroles, Bliss releva le menton avec fierté.

— Qu'il soit trop tard ou pas, mieux vaut attendre d'être mariés pour partager la même chambre sous le toit de tes parents. Tu n'es pas d'accord ?

Sans chercher à dissimuler sa déception, Dante s'éloigna d'elle à grands pas pour se poster à l'autre bout de la pièce, les traits crispés par la colère.

— Tu fais cela pour me contrarier, n'est-ce pas ?

En voyant son regard plein de frustration, Bliss eut du mal à ne pas éclater de rire.

Mais elle aussi allait se sentir bien seule dans ce grand lit. En pensant à la passion avec laquelle ils avaient fait l'amour, six semaines plus tôt, elle aurait sans doute le plus grand mal à trouver le sommeil.

10.

Debout sur la terrasse qui faisait le tour du dernier étage de la villa, Bliss observait l'immense étendue verdoyante qui s'étendait à ses pieds, tout en respirant à pleins poumons l'air chargé des senteurs du jasmin tout proche.

Depuis la veille au soir, un fragile espoir renaissait dans son cœur : même si Dante s'était senti frustré quand elle avait suggéré qu'ils ne partagent pas la même chambre, il lui avait cependant souhaité une bonne nuit et lui avait recommandé de ne pas se lever trop tôt. Elle savait qu'il avait fait un réel effort pour la comprendre et respecter sa volonté.

Tout en admirant la vue, elle se prit à espérer qu'il ne lui en voulait pas trop. Quant à elle, sans doute exténuée, elle avait finalement sombré dans un sommeil sans rêves auquel seules ses nausées matinales avaient réussi à l'arracher.

— *Buona mattina*.

Soudain, elle sentit les mains de Dante se poser sur ses bras nus. Au contact de ce corps qui la frôlait, son cœur se mit à battre follement tandis qu'un long frisson la parcourait tout entière. Il émanait de lui un merveilleux parfum, chaud, et sensuel comme la campagne méditerranéenne.

— Bonjour, murmura-t-elle.

— J'adore cet endroit.

— Oui, la vue est fantastique.

— Je veux parler de *cet* endroit, dit Dante d'un ton taquin en pressant les lèvres sur la nuque de la jeune femme.

— Tu m'as manqué, cette nuit, avoua-t-elle, affolée par cette caresse. Mais arrête, tes parents pourraient nous voir…

Elle se tourna vers lui et sentit immédiatement ses seins se durcir au contact de son torse puissant.

— Et que verraient-ils ? Leur fils n'a-t-il pas le droit de montrer à la charmante jeune femme qu'il va épouser à quel point elle lui plaît ?

— Tu n'es pas obligé de te marier avec moi, Dante, répondit Bliss en cherchant à échapper à son regard.

Même si elle était enceinte de lui, Bliss ne comprenait pas vraiment l'impatience de Dante. Pourquoi l'avait-il choisie, elle, parmi toutes celles qui ne demandaient qu'à se laisser séduire ? Une petite vendeuse qui, avant de le rencontrer, n'avait pas la moindre idée de ce que la vie pouvait offrir. Alors que lui, il possédait tout. Pourquoi était-il donc si pressé de se marier avec une femme dont il n'était même pas amoureux ? Simplement parce qu'elle attendait un enfant de lui ?

— Que signifie cette phrase ? dit-il en reculant d'un pas, l'air contrarié.

— Je sais bien qu'il faut aller vite à cause du bébé. Mais, pour moi, on doit se marier quand on s'aime et pas parce qu'on y est forcé, dit-elle avant de regretter aussitôt les mots qui lui avaient échappé.

En parlant ainsi, elle avait l'impression d'avoir mis son cœur à nu. Comme Dante ne disait rien, elle fit mine de s'éloigner pour se donner une contenance.

— Si c'est ce qui te chagrine, finit-il par répondre, il me semble que si tu m'en donnes le temps, j'arriverai à faire un bon mari. Vous ne manquerez de rien, notre enfant et toi, et surtout pas d'affection, car je saurai me montrer aussi attentionné que fidèle.

Sans douter le moins du monde qu'il ait dit la vérité, Bliss regretta seulement qu'il n'ait pas employé les mots qu'elle brûlait d'entendre : « Je t'aime. »

— Tu oublies pourtant l'essentiel, se contenta-t-elle de répondre.

— *Buongiorno* ! Cela fait si longtemps que j'attends ce moment que je ne peux plus attendre.

En levant les yeux, Bliss vit s'avancer vers elle un homme de haute taille, en bras de chemise, qui s'appuyait sur une canne. Avant qu'elle ait pu faire un geste, il l'avait prise dans ses bras et la serrait contre son cœur.

— Vous êtes certainement Antonio, le père de Dante. Moi aussi, j'étais très impatiente de vous rencontrer.

Tout en l'étreignant, le vieux monsieur lui murmura à l'oreille quelques mots de bienvenue avant de se tourner vers son fils, le visage rayonnant de joie.

— Elle est charmante, Dante. Absolument charmante. Tatiana ne s'est pas trompée en me disant que j'allais l'adorer ! Ma petite Bliss, je n'ai pas besoin de vous regarder plus longtemps pour savoir que vous allez faire de mon cher fils le plus heureux des hommes.

— Voilà longtemps que je n'avais pas vu ton père aussi en forme, dit Isabella à Dante tout en disposant des fruits dans une corbeille. Elle s'arrêta pour contempler longuement son fils qui, depuis un moment déjà, arpentait la véranda.

Avec une intuition toute maternelle, elle le sentait préoccupé, sans doute par son prochain mariage.

— Tu sais à quel point ton bonheur lui importe, ajouta-t-elle.

— Vraiment ? répondit Dante qui sentait poindre dans son cœur un doute trop familier.

— Comment peux-tu réagir ainsi ? s'étonna Isabella. Ton père vénère jusqu'à l'air que tu respires.

— Tu ne crois pas qu'il m'en veut ? Parce qu'à ma naissance, ses propres parents l'ont rejeté ?

— Comment peux-tu proférer une pareille absurdité ? s'exclama Isabella, visiblement stupéfaite. Comme si Antonio t'en avait jamais voulu ! C'est lui qui s'est éloigné de ses parents, parce qu'ils refusaient sa relation avec Katherine, ta mère. Jamais Antonio n'a regretté d'avoir rompu avec eux. Ils se sont toujours comportés comme si tu n'existais pas et il a dû se battre pour t'élever. Comment peux-tu lui reprocher quoi que ce soit ?

— Je ne lui reproche rien, rétorqua Dante qui fixait sans le voir l'horizon, les doigts crispés sur la balustrade de la véranda. Si je suis différent, ce n'est pas sa faute.

— Comment ça, différent ? demanda Isabella en s'asseyant sur une chaise sans se préoccuper davantage de sa corbeille de fruits.

— Enfant, je me sentais différent, expliqua Dante en lui jetant un bref regard. Illégitime. Et j'étais jaloux de Stefano et de Tatiana. Pendant longtemps, j'ai vécu seul avec *papà*, mais il passait sa vie à travailler et n'avait guère de temps à me consacrer. Ensuite, vous vous êtes mariés. Quand mon frère et ma sœur sont nés, vous les avez aimés parce qu'ils étaient vos enfants à tous les deux. Alors que moi, je n'étais pas du même sang. Chaque jour qui passait, je ressentais cette différence. Alors j'ai essayé de travailler de plus en plus dur pour attirer l'attention de mon père et éviter qu'il ne regrette mon existence. Et toi aussi, je voulais que tu m'aimes et que tu sois aussi fière de moi que de Stefano et de Tatiana.

Il leva enfin les yeux vers sa mère qui courut vers lui pour le prendre dans ses bras en pleurant.

Tout en lui caressant les cheveux, Isabella sentait le désespoir l'envahir à la pensée que son fils avait si longtemps douté d'un amour qu'elle avait toujours considéré comme acquis.

— Mais, Dante, tu as toujours été mon premier *bambino,* et je t'ai aimé à l'instant même où je t'ai vu. Tu avais l'air si sérieux avec tes grands yeux verts si tristes et inquiets. Et un premier enfant occupe toujours une place spéciale dans le cœur d'une mère. Mon fils, je donnerais ma vie pour toi, et je mourrais heureuse d'avoir pu le faire.

— Moi aussi, *mamma*, balbutia Dante d'une voix que l'émotion brisait.

Bliss, qui s'était assoupie au soleil sur la terrasse, tressaillit en entendant un bruit derrière elle. Elle enleva ses lunettes de soleil et fut étonnée de voir Antonio qui la regardait, debout à côté de sa chaise longue. Puis il s'assit à côté d'elle, tout en continuant à la fixer de ses grands yeux bruns.

— Vous rendez-vous compte de ce que vous avez fait pour moi, Bliss ?

Ne comprenant pas exactement où il voulait en venir, la jeune femme resta silencieuse.

— Excusez-moi pour le cliché, mais vous avez fait de moi le plus heureux des hommes. De mes trois enfants, Dante est celui pour qui je me suis toujours fait le plus de souci parce que, contrairement à Tatiana ou à Stefano, quand quelque chose ne va pas, il a tendance à se replier sur lui-même. En se mariant avec vous, il apprendra à partager ses soucis. Vous saurez l'aider et le réconforter.

En entendant ces paroles, Bliss se sentit envahie par une telle souffrance qu'elle dut remettre ses lunettes de soleil pour dissimuler son visage. Certes, elle était amoureuse de Dante et ne demandait pas mieux que de l'aider et de le réconforter quand il en aurait besoin. Mais même s'il lui avait promis de se montrer un mari affectueux et attentionné, il ne ressentait pas d'amour pour elle. Dès lors, comment pouvait évoluer leur relation ? Comme une plante qu'on oublie d'arroser, elle se flétrirait et ne tarderait pas à dépérir.

Bliss frissonna.

— Votre fils est un homme de cœur, monsieur di Andrea.

Qu'aurait-elle pu dire d'autre ? Dante, au moins, n'avait pas cherché à échapper à ses responsabilités.

— Appelez-moi Antonio, je vous en prie. Faites-moi cet honneur, *piccola*. Moi qui viens de perdre un gendre, je remercie Dieu de me donner une nouvelle fille si adorable.

— Vous êtes très gentil.

— Bliss, sachez que je ne dis jamais que ce que je pense. Je n'oublie pas que vous avez aussi aidé ma fille quand elle en avait besoin. Mon cœur se réjouit que vous donniez un enfant à mon fils et je ne m'étonne pas qu'il soit tombé amoureux de vous dès qu'il vous a vue.

Heureuse de pouvoir cacher son désarroi derrière ses verres teintés, Bliss eut cependant bien du mal à ravaler ses larmes. Non, Dante n'était pas amoureux d'elle, mais elle n'allait pas décevoir Antonio, qui adorait son fils, par un tel aveu.

A cet instant, Dante fit son apparition sur la terrasse. Il était magnifique dans sa chemise blanche et son pantalon couleur sable. Il avait les pieds nus.

— *Papà*, l'infirmière m'a chargé de te rappeler que c'est l'heure de ton médicament.

— Ah ! Celle-là ! Quel dragon ! Ta *mamma* a dû la recruter dans l'armée.

Comme Bliss se levait pour aider le vieux monsieur qui semblait batailler avec sa canne, Dante se précipita et passa le bras autour de sa taille pour le soutenir.

— Dragon ou pas, elle est là pour ton bien, *papà*, et tu dois faire ce qu'elle te dit.

— D'accord, mais inutile de te comporter comme si j'étais un enfant. Reste ici avec Bliss et profitez de votre tête-à-tête avant que *mamma* ne vienne discuter mariage avec vous. As-tu annoncé à ta fiancée que quelques proches passeront ici cet après-midi pour faire sa connaissance ? N'ayez aucune crainte, ma chère enfant, ce sont des gens charmants qui ne demandent qu'à partager notre joie.

Malgré ces paroles rassurantes, Bliss était loin de se sentir tranquille. Brusquement, son mariage lui semblait bien trop réel et trop proche. Une fois que tout le monde serait au courant, il lui serait bien difficile de revenir en arrière. Sans parler de la déception d'Isabella et d'Antonio qui lui avaient ouvert leurs bras avec tant de gentillesse…

Dante perçut la panique dans le regard de Bliss et lui prit la main. En la voyant assise sur la terrasse en train de discuter avec son père, il s'était senti envahi par une bouffée de joie profonde. Dans son bain de soleil à fines bretelles et son jupon blanc, pieds nus, ses cheveux sombres dénoués sur la nuque, elle était adorable et si désirable…

— Tu ne veux pas aller à l'intérieur ? lui proposa-t-il dès qu'Antonio se fut éloigné.

Bliss, qui venait de déboucher son tube de protection solaire, lui adressa un bref sourire derrière ses lunettes de soleil.

— Je me sens bien ici, au soleil, après la grisaille de Londres.

Ces quelques mots plongèrent Dante dans le plus total ravissement. De nouveau, à la pensée que la jeune femme portait un enfant de lui, il sentit renaître en lui ce sentiment à la fois possessif et protecteur qui commençait à lui devenir familier. Il aurait voulu que leur mariage ait lieu non pas dans deux semaines, mais le jour même…

Il s'assit sur la chaise que son père venait de quitter et prit le tube de crème des mains de la jeune femme.

— Fais glisser tes bretelles, je vais t'aider, chuchota-t-il d'une voix rauque.

Bliss s'exécuta d'une main tremblante, tout en se félicitant de ne pas être en maillot de bain, comme elle en avait eu dans un premier temps l'intention. Mais sous les mains de Dante qui effleuraient doucement ses épaules pour répartir la crème, elle sentit son corps s'épanouir peu à peu et les pointes de ses seins se durcir de la façon la plus indiscrète. Il avait suffi que Dante la touche pour qu'elle réagisse comme s'il avait entrepris de lui faire l'amour, là, en plein air. Et cette pensée était si ensorcelante qu'elle faillit la lui suggérer à l'oreille. Mais, Dieu merci, au dernier moment, elle eut la force de se mordre les lèvres…

Dante, sentant le trouble qu'il provoquait chez Bliss, sentit sa bouche se dessécher, mais il continua imperturbablement à étaler la crème sur la gorge de la jeune femme, non sans tenter quelques furtives explorations un peu plus bas, dans une zone qu'il aurait voulu caresser non seulement de ses doigts, mais aussi de ses lèvres et de sa langue…

— *Santo cielo !*

Dans son trouble, les mots lui avaient échappé.

— Que se passe-t-il ? s'enquit Bliss en lui faisant face.

— Je voudrais te montrer quelque chose, répondit-il en lui jetant un regard de feu.

— Où donc ? murmura-t-elle d'une voix troublée.

— Quand nous serons seuls, tous les deux.

Sans quitter Bliss des yeux, Dante étendit une couverture à l'ombre d'un bouquet d'arbres avant de la prendre dans ses bras et de la faire asseoir à côté de lui à l'abri des épais feuillages.

— Si tu as des scrupules à partager ma chambre dans la maison de mes parents, ici, tu devrais te sentir plus libre, murmura-t-il en lui adressant un regard d'une brûlante éloquence.

Loin de chercher à résister, Bliss se sentait une fois de plus sans défenses devant le désir de Dante. Posant le doigt sur son menton, il suivit d'abord la ligne de son cou avant de s'aventurer plus bas, beaucoup plus bas, au plus profond de son décolleté.

— Tu ignores ce que j'ai enduré la nuit dernière à la pensée que je ne pouvais même pas te toucher alors que tu étais si proche, dit-il en se pressant doucement contre elle.

Il prit le visage de Bliss entre ses paumes et posa sa bouche sur la sienne dans un baiser brûlant dont la ferveur balaya les derniers doutes de la jeune femme. Comme par magie, elle se sentit transportée dans un monde de sensations exquises où la raison ne tenait plus de place. Elle avait l'impression que, sous les doigts experts qui l'exploraient tendrement, son corps devenait presque fluide, tandis qu'au-dessus de leurs têtes le soleil filtrait paresseusement à travers les arbres.

Comme les baisers de Dante devenaient plus passionnés, ses caresses plus précises, Bliss ferma les yeux et se laissa aller contre lui, sans chercher à retenir ses gémissements de plaisir. Mille liens invisibles semblaient relier son corps frémissant à la nature environnante, à l'air tiède et lumineux, et à la terre sur laquelle ils étaient allongés. Jamais elle n'avait connu de sensation si exaltante. Des larmes de plaisir et de reconnaissance lui montèrent aux yeux quand Dante, après l'avoir débarrassée de ses vêtements, la pénétra enfin, l'inondant d'un plaisir sans cesse renouvelé…

— J'ai bien peur de ne plus pouvoir aligner deux idées raisonnables aujourd'hui, tellement tu me rends fou de désir, déclara Dante en tournant vers Bliss un visage aux traits détendus.

En le voyant ainsi, la jeune femme se sentit envahie de joie et d'un espoir si intense qu'elle ne put lui répondre tout de suite. Au fond, pourquoi leur vie ne continuerait-elle pas ainsi ? Quand ils étaient seuls tous les deux, tout lui paraissait possible.

De peur de briser ce sentiment d'harmonie profonde qu'elle puisait dans ses bras, Bliss se contenta de prendre le visage de Dante entre ses mains et de plonger son regard dans le sien.

— Pourquoi ne pas goûter tout simplement notre plaisir, murmura-t-elle, sans chercher à réfléchir davantage ?

— *Sì, carina.*

Joignant le geste à la parole, il fit doucement glisser les bretelles du haut de Bliss, dénudant sa poitrine magnifique sur laquelle le soleil posait comme des gouttes de lumière.

— Tu as raison, *bellissima.* D'ailleurs, n'as-tu pas fait de moi ton esclave ? Passons toute la journée ici, sans nous préoccuper de rien d'autre que de notre plaisir, comme tu dis si bien, reprit-il en effleurant du bout des doigts les seins de la jeune femme.

— C'est… c'est impossible, dit-elle sans pouvoir réprimer un faible gémissement. Tu oublies que tes parents attendent des invités.

A cette idée, Bliss se sentit soudain coupable. Que penseraient Antonio et Isabella s'ils la voyaient revenir en retard et toute rouge encore de leurs ébats ? Mais comme elle tentait de s'écarter, Dante lui prit les poignets et lui jeta un regard si éloquent qu'elle en eut le souffle coupé. Puis il la fit doucement rouler sur le dos et se pencha au-dessus d'elle.

— Nos amis peuvent attendre. Même *il Presidente* en personne ne saurait s'opposer au désir que je ressens pour toi.

11.

Tout en sirotant son cocktail de fruits, Bliss jeta un regard discret aux invités rassemblés sur la terrasse. Au milieu de cette foule de gens vêtus avec une élégance recherchée, elle avait bien du mal à dissimuler son anxiété. En dépit de son calme apparent, elle était loin de se sentir du même monde qu'eux. Le brouhaha de voix qui se mêlait au tintement des verres et de la vaisselle lui parvenait comme étouffé par une invisible cloison. Si quelqu'un avait eu à désigner un intrus dans cette assemblée, nul doute que son regard se serait immédiatement porté sur elle, songea-t-elle en observant l'impressionnante rangée de voitures qui stationnaient sur le parking : trois Ferrari, une Rolls, une Lamborghini et plusieurs autres du même style.

Qu'allaient penser ces gens en découvrant que Dante épousait une modeste jeune femme, sans argent ni relations ? Elle redoutait qu'il ait honte d'elle et qu'il ne soit embarrassé quand on lui poserait des questions comme : « Qui sont ses parents ? Que font-ils ? » Tant qu'ils étaient restés seuls, tous les deux, couchés dans l'herbe, elle était parvenue à se convaincre que tout irait bien, mais maintenant… Maintenant, elle se sentait de nouveau torturée par le doute.

— Je n'arrive pas à croire que mon cousin vous ait abandonnée ici toute seule, dit soudain une voix à côté d'elle. Cela fait un moment que je vous observe et comme il n'a pas l'air de se montrer, je ferai moi-même les présentations : je suis Alessandro Visconti. Vous devez être la charmante personne qui a fini par conquérir son cœur.

En tournant la tête, Bliss aperçut un jeune homme de vingt-trois ou vingt-quatre ans, brun, très élégant et discrètement parfumé. Sans rien laisser paraître de son malaise, elle accepta la main qu'il lui tendait avec nonchalance.

— Oui, je suis Bliss Maguire.

« Et loin d'être conquise par moi, ajouta-t-elle *in petto*, votre cousin se sent forcé de m'épouser parce que je suis enceinte. »

— Dante a bien de la chance, continua Alessandro en la gratifiant d'un regard éloquent. Oui, bien de la chance, si je peux me permettre de donner mon avis.

« Pourquoi ce coup de téléphone dure-t-il si longtemps ? » se demanda Bliss. Cela faisait maintenant presque un quart d'heure que Dante l'avait quittée. Elle se sentait seule, certaine que tous les regards étaient fixés sur elle. Il lui manquait affreusement, comme si, en quelques jours, il avait pris une place prépondérante dans sa vie.

— Eh bien… Alessandro… vous travaillez sans doute dans l'hôtellerie, vous aussi ? dit-elle avant d'avaler précipitamment une gorgée de jus de fruits.

— Pas du tout, répondit-il d'un air narquois. Vous avez devant vous le mouton noir de la famille, un bon à rien qui se contente de voyager d'un casino à l'autre en dilapidant l'argent de ses parents sans penser au lendemain.

— Et cela vous arrive de gagner ? s'enquit Bliss, touchée par la franchise dont faisait preuve le jeune homme.

— Parfois, répondit-il en haussant les épaules. Quand c'est

le cas, j'en fais profiter les bonnes œuvres pour éviter de me sentir trop coupable.

Bliss, un peu plus détendue, se mit à rire de cette boutade, au moment même où Dante surgissait à côté d'eux.

— Qu'y a-t-il de si drôle ? lança-t-il d'une voix presque irritée en les toisant de toute sa hauteur.

— Je révélais simplement à ta charmante fiancée que je suis la honte de la famille. Tu ne me démentiras pas, n'est-ce pas ?

— C'est effectivement un rôle dans lequel tu te complais, Alessandro, rétorqua Dante sans dissimuler sa désapprobation.

Curieusement déçue de l'attitude de Dante, Bliss voulut prendre la défense du jeune homme.

— Mais personne n'est parfait, tu ne crois pas ? dit-elle.

— Je crois que tu es restée trop longtemps au soleil, répondit-il d'un ton glacial. Tu ferais mieux de rentrer. Je t'accompagne.

— Voyons, je n'ai pas envie…

Dante la prit par le bras en lui jetant un regard si expressif qu'elle préféra se taire et le suivre. Une fois qu'ils furent dans sa chambre, Bliss, furieuse, se dégagea de la main qui l'emprisonnait.

— Peux-tu m'expliquer pourquoi tu t'es comporté aussi grossièrement vis-à-vis de ton cousin ? lança-t-elle.

— Tu ferais mieux de ne pas parler de ce que tu ignores, répliqua Dante, apparemment au comble de la rage. Alessandro est un jeune imbécile qui, par son comportement épouvantable, a conduit sa mère au bord de la dépression, sans parler de sa façon de dépenser l'argent de ses parents au casino et avec des femmes. Et chaque fois qu'il retourne auprès de ses malheureux parents, ceux-ci lui pardonnent. Ils le croient quand il leur promet de s'amender !

— Tu parles comme si c'était à toi qu'il faisait du mal…

Dante se détourna un instant pour se passer la main sur le visage et tenter de retrouver le contrôle de lui-même. Au fond, Bliss n'avait pas tort de prétendre qu'il en voulait à Alessandro : celui-ci avait beau se comporter de la pire manière, son père et sa mère n'en continuaient pas moins à l'adorer et à se montrer fier d'un fils capable de jouer à la perfection son rôle de play-boy italien. Et voilà que Bliss semblait sur le point de succomber à son tour au charme de ce prétentieux… Il sentit un courant de colère brûlante se répandre en lui.

— Tu n'as pas à t'intéresser à mon cousin, murmura-t-il entre ses dents. N'oublie pas que désormais tu m'appartiens et que les autres hommes ne te concernent plus. Tu as compris ?

Bliss se raidit sous le choc. Pouvait-il croire qu'elle se sentais attirée par un homme du genre d'Alessandro, alors qu'ils avaient fait l'amour si passionnément quelques heures plus tôt ? Des larmes de colère et d'humiliation lui montèrent aux yeux.

— Comment peux-tu me parler ainsi, comme si j'étais ta chose ? Je n'appartiens à personne d'autre qu'à moi-même !

Il lui répondit par un flot de paroles en italien. Quand il eut fini d'exhaler sa fureur, il se tut et baissa les yeux. Puis il reprit sa respiration avant de la fixer de nouveau, mais cette fois avec une expression pleine de remords.

— Peut-être es-tu dans le vrai, reconnut-il tout en tentant de dominer l'émotion qui l'avait envahi.

— Dans le vrai ? s'étonna Bliss sur un ton encore cinglant.

— Au sujet d'Alessandro. Effectivement, il me fait du mal.

Percevant dans le regard de Dante la trace d'une très ancienne blessure, Bliss se demanda ce qui pouvait le mettre dans un tel état. En quelques occasions déjà, elle avait perçu chez lui les traces d'une fêlure, sans croire pourtant qu'un homme si brillant et si séduisant puisse manquer d'assurance.

A cette pensée, sa colère retomba brusquement. Elle se souvint qu'Antonio lui avait révélé que son fils aîné avait toujours paru incapable de se confier, même au sein de sa propre famille.

— Que s'est-il passé, Dante ? S'agit-il seulement de ton cousin, ou bien y a-t-il autre chose ?

Dante s'approcha d'une fenêtre et contempla le petit bois de châtaigniers, au-delà de la terrasse où les invités se prélassaient au soleil de l'après-midi.

— Isabella est la mère de ma sœur et de mon frère, mais pas la mienne, dit-il sans tourner la tête. Ma vraie mère était irlandaise. Cela t'étonne ? Elle s'appelait Katherine O'Brien. Mon père est tombé fou amoureux d'elle dès qu'il l'a vue. Mais quand elle s'est trouvée enceinte et qu'il a voulu l'épouser, ses parents à lui se sont catégoriquement opposés à cette union. Ma mère est morte peu après. Pendant six ans, mon père m'a élevé seul tout en travaillant. Durant la journée, il me confiait à ma tante, une femme qui désapprouvait jusqu'à mon existence. Après la naissance de Stefano, puis de Tatiana, je n'ai jamais plus été le *numero uno* dans le cœur de mon père. Tu dois me juger terriblement égoïste, mais j'ai souvent eu l'impression d'être une pièce rapportée dans cette famille. *Capizsci ?*

Ainsi, songea Bliss, si Dante travaillait si dur, c'était pour que les siens soient fiers de lui, comme s'il avait sans cesse à gagner leur approbation, à leur prouver quelque chose. Qu'il était aussi digne d'amour que son frère et sa sœur ? Quelle idée grotesque ! Il ne se rendait même pas compte de ce que Bliss avait d'emblée perçu comme une évidence : que sa famille l'adorait et l'aurait adoré tout autant s'il avait été un plombier et non un brillant chef d'entreprise. Il n'y avait qu'à voir la façon dont Tatiana le regardait, tout comme Antonio et Isabella !

— Tu n'as pas à te montrer jaloux de ton cousin, dit-elle après un silence. D'après ce que j'ai constaté, toute ta famille t'admire et t'adore, j'en suis convaincue. Tu ferais mieux de laisser tes doutes de côté et remercier le ciel qu'il en soit ainsi. Essaie de le comprendre…

Elle s'approcha pour lui poser la main sur le bras.

— Si notre enfant a des ancêtres irlandais, quelle importance ? Le père de Renata n'était-il pas anglais ? Et pourtant, Antonio parle toujours de son gendre avec beaucoup de respect. Il lui importe peu que Tatiana n'ait pas épousé un Italien, c'est évident.

Il se tourna vers elle.

— Mon père n'est pas à blâmer. Jamais il n'a fait la moindre différence entre ses enfants. Mais ma naissance a causé une rupture entre ses parents et lui, et a privé Stefano et Tatiana de tout contact avec leurs grands-parents. Tu dois comprendre… qu'il m'est difficile d'évoquer tout cela. Jusqu'à aujourd'hui, je n'en avais parlé à personne. Mais je te promets que notre enfant, lui, ne manquera de rien. Et jamais il ne se sentira en trop, je le jure. D'ailleurs, ses grands-parents seront en adoration devant lui, j'en suis sûr.

— Du moment qu'il se sent aimé, rien ne peut lui manquer, Dante.

— Tu as raison, répondit-il en effleurant du bout des doigts la joue de la jeune femme.

Le coup de téléphone qu'avait reçu Dante quelques minutes plus tôt le rappelait à Milan de toute urgence pour ses affaires. Il partit dès le lendemain matin, après avoir expliqué à Bliss qu'il ne resterait pas plus de deux ou trois jours absent. Il lui recommanda de se reposer le plus possible, sans chercher à faire quoi que ce soit.

Lorsqu'il prit congé d'elle, avec un rapide baiser, Bliss vit une ombre passer dans son regard, comme s'il regrettait sa franchise de la veille. A la pensée qu'il ne lui faisait pas encore suffisamment confiance, son cœur se serra. Lorsqu'il lui avait révélé le secret de sa naissance, elle avait espéré qu'ils apprendraient vraiment à mieux se connaître. Mais ce matin, en le voyant partir, elle se sentait pleine d'incertitudes concernant leur avenir. Que vaudrait leur mariage s'ils en étaient réduits à se dissimuler sans cesse leurs sentiments ?

Elle se dirigeait vers la véranda pour s'y asseoir et lire un moment, lorsque Isabella apparut dans le hall accompagnée d'Alessandro Visconti.

— Vous avez un visiteur, ma chérie. Et même si je n'approuve pas entièrement sa présence, il vous tiendra compagnie cet après-midi, pendant que j'accompagnerai Antonio à l'hôpital pour sa visite de contrôle.

Bliss aurait préféré passer l'après-midi à lire tranquillement plutôt qu'à converser avec un quasi-inconnu, mais elle s'abstint de tout commentaire. Tout le monde se montrait si empressé à son égard qu'il aurait été discourtois de se montrer désagréable.

— Merci beaucoup. J'espère surtout que tout se passera bien à l'hôpital.

Une lueur fugitive d'inquiétude vint assombrir le regard d'Isabella, vite éclipsée cependant par la chaleur de son sourire.

— Moi aussi, évidemment, je souhaite que les nouvelles soient bonnes, affirmat-t-elle. D'ailleurs, depuis que vous êtes arrivés, Antonio a l'air d'aller beaucoup mieux. Ne restez pas trop longtemps au soleil, *mia cara*. A tout à l'heure. *Arrivederci*.

— Ainsi donc, je vais vous avoir à moi tout seul cet après-midi, murmura Alessandro en suivant Bliss sur la terrasse.

Tandis que celle-ci s'installait confortablement dans un fauteuil, il resta debout, fixant d'un regard un peu trop insistant ses jambes nues révélées par son short blanc.

— C'est peut-être un peu excessif, répondit Bliss, non sans imaginer le froncement de sourcils désapprobateur avec lequel Dante aurait accueilli la remarque du jeune homme.

Elle préférait se montrer dissuasive : même si elle avait trouvé ridicule la jalousie de Dante, elle commençait à comprendre ce que dissimulait le sourire charmeur d'Alessandro. Elle préférait garder ses distances.

— Vous vouliez voir votre cousin ? s'enquit-elle en prenant un magazine.

— Comme je n'avais rien d'autre à faire, je suis venu présenter mes respects à mon oncle. A vrai dire, je ne suis pas en odeur de sainteté dans ma famille, surtout auprès de Dante, d'ailleurs. Bien qu'il n'ait qu'à claquer des doigts pour que les femmes se jettent à ses pieds, il se comporte avec elles en parfait gentleman. Ma mère me dit toujours : « Pourquoi ne prends-tu pas modèle sur Dante ? » Mais je crains fort que ce ne soit guère dans ma nature.

Il traversa la véranda à grands pas et fit mine de se pencher un instant au-dessus de la balustre blanche pour examiner le paysage, avant de se retourner vers Bliss avec un sourire charmeur.

— Je pourrais vous emmener faire un tour dans ma nouvelle voiture. Pour tout avouer, elle appartenait à mon père, mais j'ai réussi à le convaincre de me la donner.

— Vous arrivez toujours à vos fins, n'est-ce pas, Alessandro ? remarqua Bliss non sans se remémorer fugitivement sa propre enfance.

— Sans doute. Mais je sais me montrer irrésistible, vous ne trouvez pas ?

— Tout le monde ne se laisse pas manœuvrer si facilement que vous semblez le croire.

— Je comprends pourquoi mon cousin est tombé amoureux de vous. Vous n'êtes pas seulement belle, vous êtes aussi très intelligente. Dante a toujours dit qu'au-delà de la simple attirance physique, il attendait d'une femme d'autres qualités.

Serait-elle capable, se demanda Bliss, de continuer longtemps à susciter l'intérêt de son futur époux ? Car il était clair qu'il ne l'aimait pas. Elle déglutit avec peine pour tenter de chasser la boule d'angoisse qui s'était formée dans sa gorge. Dans quelques jours, leur mariage serait célébré dans ce lieu de rêve. Et pourtant, elle se sentait désespérée à l'idée que Dante pourrait ne jamais l'aimer.

Soudain, elle éprouva le besoin impérieux de respirer le grand air.

— Si vous en avez toujours envie, je veux bien aller faire un tour avec vous, proposa-t-elle.

— Tout l'honneur sera pour moi, *signorina*, répondit Alessandro avec un sourire.

**
*

Installée dans le coupé rouge vif, les cheveux au vent, Bliss regardait la campagne italienne en songeant qu'elle avait réellement changé d'univers. Mais, même si elle était loin de bouder son plaisir, elle ne se laissait pas impressionner par tous ces signes extérieurs de richesse.

Depuis qu'elle se savait enceinte, elle nourrissait en effet au plus profond d'elle-même un secret espoir, celui d'entendre Dante lui dire enfin qu'il était amoureux d'elle. Alors, mais alors seulement, leur mariage aurait pris tout son sens. Mais comme il lui semblait fort improbable que Dante lui fasse une telle déclaration, elle devrait bien se résigner à épouser un homme qui ne l'aimerait sans doute jamais.

— A quoi pensez-vous ? s'enquit Alessandro sans tourner la tête, car il s'était visiblement mis en tête d'impressionner la jeune femme par une conduite sportive.

— Je pense que vous allez un peu trop vite à mon goût, répondit Bliss, l'estomac chaviré par les coups d'accélérateur.

— On dit pourtant que la vitesse est un aphrodisiaque, déclara Alessandro sans ralentir le moins du monde.

— Arrêtez-vous immédiatement, répondit Bliss, secouée par des nausées de plus en plus violentes.

— Pourquoi ? Je suis certain qu'en réalité, vous êtes ravie.

— Mon Dieu... gémit la jeune femme. Je vous en prie, Alessandro !

Lui jetant de nouveau un coup d'œil de côté, le jeune homme sembla enfin prendre conscience de son malaise.

— Que se passe-t-il ? Vous êtes malade ? demanda-t-il en ralentissant enfin.

134

— Je crois… je crois que c'est le bébé. Je suis en train de le perdre…

Exaspéré par la malheureuse infirmière qui lui avait demandé quels étaient ses liens de parenté avec la *signorina* Maguire, Dante s'en prit ensuite à l'interne de service qui refusait de lui donner la moindre information. Au bout d'un moment, il consentit à s'asseoir dans la salle d'attente. Face aux murs blancs décorés d'affiches proclamant les dangers du tabac et de l'alcool, il sentait une sueur froide l'envahir.

En entendant la voix de sa mère au téléphone, il avait d'abord cru qu'il était arrivé quelque chose à Antonio. Puis, quand Isabella lui avait annoncé l'hospitalisation de Bliss et les circonstances de son malaise, il avait eu envie d'étrangler Alessandro de ses propres mains. Immédiatement, il avait sauté dans une voiture et parcouru les quarante-huit kilomètres séparant Milan de Varèse. Pourtant, si Bliss perdait cet enfant, il serait le seul fautif, car jamais il n'aurait dû la laisser dans ces circonstances. Les affaires qu'il lui avait paru si urgent de régler lui semblaient maintenant dérisoires, même si elles se chiffraient en millions de dollars.

Il se prit la tête dans les mains en gémissant et adressa à Dieu une courte prière. Depuis que Bliss lui avait annoncé sa grossesse, il ne vivait plus que dans la pensée du bébé à venir. Il avait enfin compris à quel point il avait toujours désiré être père.

— *Signor* di Andrea ? Je suis Angelo Berticelli, le médecin de garde. Je crois que vous devez épouser bientôt la *signora* Maguire, n'est-ce pas ?

— Comment va-t-elle ? s'écria Dante en se levant, la gorge serrée. Puis-je la voir ?

Il lui fallait absolument faire sortir Bliss de ce petit hôpital public et exiger qu'elle soit transportée dans une clinique privée dès que possible. Comment Sandrine avait-elle pu passer à côté de ce problème lorsqu'elle l'avait examinée ? Jamais il n'aurait dû faire confiance à une amie de la famille. Mais s'il restait la moindre chance de sauver l'enfant, il ferait tout, oui tout…

— J'ai pris sur moi de contacter le chef du service d'obstétrique pour qu'il vienne examiner la *signorina* Maguire. Bien que nous ayons pratiqué un certain nombre de tests, il me semble préférable d'avoir son avis. Il sera là dans moins d'une demi-heure. Mais nous avons déjà administré un calmant à la patiente qui paraissait assez agitée à son arrivée.

Agitée ? Cela signifiait-il que Bliss souffrait ? se demanda Dante en blêmissant. Elle, si sereine d'ordinaire, il avait du mal à l'imaginer dans un tel état. *Santo cielo !* Elle devait avoir si peur !

— A-t-elle perdu l'enfant ? demanda-t-il sans lever les yeux.

— Je crains de ne pas pouvoir vous répondre, *signor* di Andrea. L'obstétricien le fera après avoir examiné la *signorina* Maguire. Restez ici, une infirmière viendra vous chercher dès qu'il sera arrivé.

— Je ne peux pas demeurer ainsi sans rien faire, répondit Dante qui pour la première fois de sa vie se sentait impuissant et inutile, un sentiment qui lui semblait particulièrement douloureux.

— Je regrette, *signor* di Andrea, mais il n'y a pas d'autre solution, dit le médecin avec un sourire d'excuse avant de s'éloigner, le laissant seul dans la pièce.

12.

Bliss avait l'impression d'émerger avec difficultés d'un épais brouillard cotonneux qui la retenait prisonnière. Tandis qu'elle s'efforçait de soulever les paupières, elle prit brusquement conscience que l'horrible douleur qui lui tordait les entrailles s'était apaisée. Prise de panique, elle tenta de se redresser. Cela signifiait-il qu'elle avait perdu son bébé ? Pourquoi ne sentait-elle plus rien ?

— Que se passe-t-il ? dit la voix de Dante, tout près de son lit.

Dans les quelques mots qu'il avait prononcés, Bliss perçut une telle angoisse qu'elle laissa brusquement retomber sa tête sur l'oreiller.

— Je ne savais pas que tu étais ici, balbutia-t-elle, la gorge serrée, craignant qu'on ait déjà annoncé à Dante la perte de leur enfant.

— Naturellement, je suis là. Crois-tu que j'allais rester à Milan après avoir appris que tu étais hospitalisée ici ?

Dante scruta le visage de la jeune femme. Il aurait souhaité la serrer contre lui pour mieux la protéger, elle qui paraissait si vulnérable dans sa mince chemise d'hôpital. Mais mieux valait faire preuve de courage et éviter de lui transmettre sa propre inquiétude.

— J'aimerais boire quelque chose, murmura-t-elle.

Il saisit la bouteille posée sur la table de nuit et remplit d'eau un gobelet en plastique. Prenant Bliss par les épaules, il l'aida à se soulever et à avaler quelques gorgées. En la sentant si fragile contre lui, il fut envahi par une bouffée d'anxiété tellement violente que les larmes lui montèrent aux yeux. Pour elle, il se sentait prêt à affronter la terre entière…

— Merci. Cela m'a fait du bien.

Se sentir protecteur était une chose, mais maîtriser l'émotion qui le submergeait en cet instant lui paraissait beaucoup plus difficile. Tout en aidant la jeune femme à se caler plus confortablement sur ses oreillers, il serra résolument les mâchoires.

— Dante… Ils t'ont dit quelque chose ? balbutia-t-elle, terrorisée à la seule idée de prononcer le mot « bébé ».

Terrorisée, Bliss ferma les yeux. Comment une femme était-elle censée se comporter dans de telles circonstances ? Comment pourrait-elle sortir de l'hôpital et reprendre le cours normal de ses occupations après avoir subi un tel traumatisme ? Elle qui avait déjà perdu ses parents et qui était restée si longtemps seule, voilà que le bonheur lui échappait à l'instant même où elle commençait à le croire possible.

— Non, *amorina*. Je ne peux rien te dire pour le moment. Le médecin qui t'a examinée doit revenir bientôt, c'est la seule chose dont je sois sûr.

Jamais Dante n'avait paru aussi déprimé. Au point qu'en dépit de sa propre angoisse, elle ne put s'empêcher de lui adresser quelques mots de réconfort :

— Dante… je suis certaine que tu auras d'autres enfants. Ton avenir est devant toi. Je regrette tant de n'avoir pas pu…

Sa voix se brisa, l'empêchant de continuer.

Dante se redressa vivement sur son fauteuil. Comment

pouvait-elle songer à s'excuser dans un tel moment ? se demanda-t-il. Et que signifiait cette allusion à d'autres enfants qu'il pourrait avoir ? Comme s'il envisageait de refaire sa vie avec une autre femme ! Cherchait-elle à lui faire comprendre qu'une fois sortie de l'hôpital, elle envisageait de se séparer de lui ? A cette idée, il se sentit comme anéanti et, ne sachant comment exprimer son chagrin, il prononça la seule phrase qui lui vint à l'esprit :

— Que faisais-tu en pleine campagne dans la voiture d'Alessandro ?

La violence de l'insinuation dissipa définitivement le brouillard dans lequel Bliss s'était sentie plongée.

— Est-ce que tu m'accuses d'avoir provoqué moi-même cet accident en allant faire un tour avec ton cousin ? s'exclama-t-elle en le fixant avec horreur.

— Il est clair que ce jeune imbécile conduisait beaucoup trop vite et qu'il t'a causé une peur mortelle. Mais il me le paiera, il ne perd rien pour attendre !

— Non, Dante. Il n'est pour rien dans tout ça.

— Comment peux-tu prendre sa défense ? lança-t-il en lui jetant un regard glacial. Sans doute aurais-tu préféré avoir une aventure avec lui plutôt qu'avec moi !

Trop bouleversée pour pouvoir répondre, Bliss le regardait, incrédule, quand le Dr Berticelli pénétra dans la chambre, suivi d'une infirmière.

— Comment vous sentez-vous, *signorina* ? dit-il non sans froncer les sourcils en semblant remarquer l'air troublé de la jeune femme.

— Je n'ai plus mal..., répondit-elle. Sans doute l'effet des calmants que vous m'avez prescrits. Mais cela veut-il dire que... je...

Elle dut s'arrêter, incapable de terminer la phrase qui allait définitivement sceller son destin. D'autant qu'elle sentait encore peser sur elle le regard courroucé de Dante.

— Vous semblez avoir maintenant récupéré, *signorina* Maguire. Vous n'avez pas perdu votre bébé, mais durant les mois qui viennent, il va vous falloir vous reposer davantage si vous voulez mener à terme votre grossesse. *Signor* di Andrea, dès demain matin vous pourrez emmener cette jeune femme, mais à la stricte condition qu'elle ne se surmène pas. Si vous avez besoin d'autres conseils, je vous suggère, une fois rentrée, de revoir votre propre obstétricien. Je vais vous donner une lettre que vous lui transmettrez. Nul doute qu'après l'avoir lue, il fera le nécessaire pour assurer la surveillance dont vous avez besoin.

A travers les larmes, Bliss vit Dante se signer.

— Merci, murmura-t-elle. Merci, docteur. Je vous suis si reconnaissante de tout ce que vous avez fait.

— C'est tout naturel, *signorina*. *Signor* di Andrea ? Pourriez-vous m'accompagner jusqu'au bureau pour une signature ?

Mais avant même que le Dr Berticelli ait eu le temps de terminer sa phrase, Dante était sorti précipitamment, comme s'il venait de se rappeler une obligation d'une urgence absolue. Déçue qu'il ne partage pas avec elle la joie de savoir leur futur enfant hors de danger, Bliss laissa sa tête retomber sur l'oreiller.

En dépit de l'immense soulagement qu'il venait de ressentir, l'idée d'abandonner Bliss à l'hôpital pour la nuit angoissait terriblement Dante, qui aurait voulu la garder près de lui, à la maison. Pourtant, tout son bon sens le poussait à obéir aux ordres du médecin et à la laisser se rétablir là où l'on pouvait le mieux surveiller l'évolution de son état. Non, il ne fallait pas compromettre la chance qui leur était offerte alors qu'ils avaient eu si peur… Désormais, se jura-t-il, il veillerait lui-même à ce qu'elle ne prenne pas le moindre risque durant toute sa grossesse. Rien ni personne ne devait plus lui faire courir le moindre danger.

L'esprit confus, il appela ses parents sur son portable. Et en entendant Isabella pleurer de joie, pour la première fois depuis tant d'années, il accepta enfin de laisser libre cours à son émotion, en pleurant comme un enfant.

— Isabella prépare un dîner de fête. Seulement pour nous quatre. Mes parents, toi et moi. Te sentiras-tu la force d'y assister ?

— Bien sûr, acquiesça Bliss en relevant la tête pour regarder Dante sous les larges bords du chapeau de paille qui la protégeait du soleil.

Depuis qu'elle était sortie de l'hôpital, il la traitait comme un objet fragile qui risquait à tout moment de se briser. Pourtant, elle était plus solide qu'elle n'en avait l'air et assez sensée pour éviter désormais toute imprudence, même si ce repos forcé ne lui convenait guère. Ayant toujours dû se débrouiller seule, elle avait peine à accepter d'être prise en charge, malgré toute la gratitude qu'elle ressentait.

Par ailleurs, en dépit de la sollicitude dont il faisait preuve, Dante semblait maintenir entre eux une distance délibérée. Depuis trois jours qu'elle était rentrée, il n'avait à aucun moment paru désireux de se retrouver en tête à tête avec elle, bien au contraire. Preuve qu'elle avait eu raison de penser que seul l'enfant l'intéressait. Après la naissance du bébé, sans doute serait-elle définitivement cantonnée dans son rôle d'épouse et de mère, songea-t-elle, le cœur brusquement serré.

— Je vais faire un tour, annonça-t-il. Puis-je te rapporter quelque chose ? Des magazines, un livre ?

— Je peux t'accompagner ? J'aimerais sortir, moi aussi.

Il resta quelques instants silencieux, visiblement indécis.

— A mon avis, mieux vaut que tu restes ici de peur de te fatiguer. Je ne serai pas absent longtemps.

— Ecoute, cet endroit a beau être magnifique, je commence à m'y sentir aussi prisonnière que dans une cage dorée. Même si le médecin m'a conseillé de me reposer, il ne m'a pas interdit de sortir.

— Dans deux jours, nous avons rendez-vous avec Sandrine en Angleterre. Après ce qui s'est passé, il faut qu'elle surveille ta grossesse de très près. Nous devons aussi penser à notre mariage. Je veux que tu te reposes au maximum pour être en pleine forme. Sans vouloir le moins du monde t'imposer ma volonté, c'est une question de bon sens.

— Comme si tu sous-entendais que j'en suis moi-même dépourvue ! rétorqua-t-elle, en proie à une brusque bouffée d'exaspération.

En l'entendant regimber, Dante la fixa en souriant d'un air amusé. Cela faisait un certain temps qu'il n'avait plus souri et Bliss s'en sentit heureuse.

— Je suis heureux de constater que tu as retrouvé tout ton mordant. Mais désolé, *piccola*, c'est non.

— Et pourquoi, s'il te plaît ? dit-elle en se débarrassant prestement de son chapeau. Pourquoi ne pourrais-je pas venir avec toi ? Parce que tu as rendez-vous avec une autre femme, peut-être ?

— Comment pourrais-je te tromper ? demanda Dante.

Il se sentait troublé qu'elle puisse seulement envisager

cette possibilité. En la voyant si attirante dans son short rouge et son petit haut blanc décolleté, il sentit une bouffée de désir monter en lui et son cœur se mit à battre plus vite. Seul le souvenir du drame qu'ils venaient de vivre le retenait de l'entraîner de nouveau sous les arbres où, quelques jours plus tôt, ils avaient vécu des moments inoubliables.

— Tu suffis pleinement à me combler, *carina*. Je ne ressens pas le besoin d'aller voir ailleurs et j'espère bien que toi non plus, reprit-il, la gorge nouée en se rappelant avec quelle véhémence elle avait pris la défense d'Alessandro.

Au fond de lui, il redoutait qu'elle ne lui préfère son jeune et fougueux cousin. Mais même si c'était le cas, il saurait la faire changer d'avis, ne serait-ce que pour le bonheur de leur futur enfant.

Bliss croisa les bras et lui tourna le dos, dépitée. Elle était incapable d'apprécier la vue magnifique qui s'offrait à ses yeux, ni le parfum délicieux des chèvrefeuilles et des jasmins alentour. Pour être honnête, seule la présence de Dante comptait pour elle. Si seulement il avait pu comprendre à quel point elle l'aimait ! S'il l'avait aimée lui aussi du même amour sans limite, alors leur mariage aurait eu une chance de réussir…

— Comment peux-tu parler ainsi ? Depuis mon retour de l'hôpital, à aucun moment tu ne t'es approché de moi !

— Contrairement à ce que tu as l'air de penser, dit-il en lui prenant le menton presque brutalement, c'est pour moi une torture permanente de ne pas partager ton lit. Ta seule présence, la simple trace de ton parfum dans l'air, suffit à susciter en moi un irrésistible désir. Mais je m'en voudrais de sacrifier notre futur enfant à des pulsions si égoïstes. Je regrette trop ce qui s'est passé l'autre jour sous les arbres et qui a peut-être provoqué…

— Tu t'imagines que c'est ce qui a déclenché mon malaise ! Oh, Dante, quelle idée ridicule !

En entendant ces mots, il se sentit si soulagé qu'il eut l'impression de revoir enfin le ciel après un long séjour dans une prison obscure. Lui qui, durant toute son enfance, s'était senti responsable de la rupture entre son père et ses grands-parents, ne pouvait supporter l'idée d'avoir fait courir le moindre risque à leur futur enfant.

— Quand un homme est confronté à ce genre d'événement, il lui vient des pensées folles, reconnut-il en caressant doucement les cheveux de Bliss.

— Pourquoi toujours chercher à prendre tout sur toi ? murmura-t-elle en ravalant de son mieux les larmes qui lui montaient aux yeux.

L'angoisse que ressentait Dante au sujet de leur bébé lui faisait presque peur.

— Qu'as-tu dit ? lui demanda-t-il en la fixant d'un air profondément surpris.

— J'ai dit que tu prends toujours tout sur toi, qu'il faut sans cesse que tu endosses la responsabilité de ce qui se passe autour de toi. Mais au fond, nous sommes tous des adultes responsables de leurs propres décisions. Si ta famille savait à quel point tu te sens impliqué dans tout ce qui la concerne, elle en serait même gênée, j'en suis convaincue. Et je te comprends d'autant mieux que moi-même, j'ai toujours voulu assumer les problèmes de mes parents, persuadée que j'étais la cause de tous leurs malheurs.

Dante ne répondit pas. Il devinait la souffrance immense que suscitait encore chez la jeune femme l'évocation de ce passé douloureux.

— Pourquoi ta mère a-t-elle mis fin à ses jours ? finit-il pourtant par demander après un long silence.

144

Avant de lui répondre, Bliss dut baisser les yeux et respirer profondément, tant il lui en coûtait d'être ainsi confrontée aux événements qui l'avaient si profondément blessée.

— Elle restait parfois des heures entières assise à la fenêtre, figée, avec une expression bizarre…

Elle s'arrêta, jetant à Dante un regard où l'anxiété se mêlait au chagrin.

— Quel genre d'expression ? Essaie de m'expliquer.

— Comme… Comme si elle s'attendait à ce que quelqu'un entre et l'arrache à cette vie épouvantable. Naturellement, c'était impossible, puisque son malheur était en elle-même et nulle part ailleurs. Parfois, je me dis qu'elle ne comprenait pas ce qu'elle était venue faire sur terre. Elle avait l'air d'évoluer dans un monde à elle, où mon père et moi n'avions pas de place, en dépit de tous les efforts que nous tentions. Moi, je sentais qu'il allait se passer quelque chose et j'étais terrifiée…

Levant la tête, Bliss rencontra le regard de Dante, plein d'une compassion qu'elle eut d'abord bien du mal à accepter. Jamais auparavant elle n'avait exprimé ses sentiments avec une telle liberté, même devant son propre père…

— Et puis sa dépression s'est accentuée en dépit des médicaments que lui avait prescrits le médecin. Mon père ne savait plus comment s'y prendre. Comme il continuait à l'adorer, il a sombré dans la boisson pour oublier sa peine. Durant la semaine qui a précédé son suicide, elle s'est brusquement mise à s'intéresser à ce que je faisais et j'ai cru qu'elle allait mieux…

Sa gorge se noua et elle se tut, incapable d'aller plus loin. L'étreinte de Dante se resserra sur elle.

— En fait, reprit-elle d'une voix brisée, je suis convaincue qu'elle avait déjà pris sa décision et que c'était sa façon à elle de me dire au revoir.

— *Santo cielo* !

— Elle est morte d'une overdose de médicaments, continua Bliss, tremblante. Après… après, mon père a complètement lâché prise, comme si je n'existais plus. Moi j'ai essayé de vivre une vie normale, même si je me sentais comme anesthésiée et incapable d'éprouver le moindre sentiment. En fait, je ne pouvais rien pour lui. Non, rien n'aurait pu sauver notre famille, pas même un miracle. Un jour, en rentrant à la maison, j'ai trouvé son mot sur la table. Je mentirais si je disais que j'ai été très surprise…

— Et personne n'a pu t'aider à le rechercher ?

— Quand je suis allée à la police, on m'a dit que ce genre de disparition n'était pas rare et on ne m'a pas laissé beaucoup d'espoir. Mon père était parti de son plein gré et il était évident qu'il n'avait pas envie qu'on le retrouve. Je ne sais pas si tu peux imaginer ce qu'on ressent quand on compte si peu pour ses parents… Toi, au moins, tu es certain d'avoir été aimé, Dante, même si tu ne te rends pas compte de la chance que tu as eue.

— Mais aujourd'hui, Bliss, les choses ont changé et tu ne peux plus dire que personne ne t'aime.

— Ne crois pas que je recherche la pitié, balbutia-t-elle en cherchant à masquer de sa main sa bouche tremblante.

— Tu ne m'as pas compris, *amorina*, dit Dante en lui souriant tendrement. Je t'aime. Depuis l'instant où je t'ai rencontrée, mes sentiments pour toi n'ont cessé de gagner en intensité et en force. Je veux absolument t'épouser, Bliss, et je compte les jours qui nous séparent encore de cet engagement.

En levant les yeux vers lui, Bliss ressentit une émotion qu'elle n'avait jamais éprouvée avant cet instant, un mélange d'apaisement et de bonheur profond qui se répandait dans son âme tout entière. Il lui semblait rêver le plus merveilleux des rêves : Dante l'aimait. Réellement. Car elle savait qu'il ne pouvait lui mentir.

— Je... je croyais que seul l'enfant t'intéressait.

Dante pâlit en entendant cet aveu, mais s'appliqua à dissiper les craintes de la jeune femme.

— Je crois que cet enfant a simplement contribué à me rendre plus amoureux de toi encore. J'avais toujours eu envie de fonder une famille sans jamais rencontrer de femme susceptible de transformer ce désir en réalité. Jusqu'à ce que tu apparaisses. Toi.

— En es-tu certain, Dante ? demanda-t-elle en levant les yeux vers lui comme si elle redoutait de le voir brusquement disparaître. Je refuse d'être un fardeau pour toi. Je refuse que tu te sentes obligé de m'épouser parce que je suis enceinte. Je n'imagine pas de pire cauchemar.

— Jamais plus tu ne vivras de cauchemar, *tesoro*, dit-il avec une intensité qui fit courir le long du dos de Bliss un délicieux frisson. La vérité, c'est que je me sens honoré qu'une femme aussi belle, aussi tendre et aussi généreuse que toi accepte de partager ma vie. Je t'épouse parce que je t'aime à jamais.

— Dans ce cas, je peux être heureuse, dit-elle en lui souriant avec une tendresse infinie.

— Mais toi, Bliss, quand tu as dit que tu m'aimais, étais-tu sincère ? Je dois en être sûr.

— Oui, Dante, je t'aime moi aussi à jamais.

Elle se lova contre lui, la joue posée contre son cœur, tandis qu'il caressait doucement sa chevelure.

— Alors, tu ne préfères pas mon cousin Alessandro ? demanda-t-il d'un air taquin.

— Quelle idée ! rétorqua Bliss en s'écartant pour lui administrer une pichenette sur l'épaule. Il n'y a qu'un seul homme au monde qui me plaise et tu sais parfaitement de qui il s'agit. Il est insupportable et despotique, mais il a un cœur d'or et je ne peux m'empêcher de l'aimer.

Vivement, elle passa ses bras autour de la taille de Dante pour l'attirer à elle de nouveau.

— Parfait, répondit-il en se penchant sur elle. Tout homme doit savoir ce que sa femme pense sincèrement de lui. *Ti amo*, Bliss. De tout mon cœur…

Renonçant à exprimer son émotion avec des mots, il la serra contre lui comme si sa vie même en dépendait, et déposa sur ses lèvres un baiser passionné auquel elle répondit avec fougue.

Épilogue

Dix-huit mois plus tard

En descendant de sa voiture, Dante se laissa guider par les éclats de rire qui lui parvenaient de la terrasse située à l'arrière de la maison. Abandonnant sa valise sur l'allée de gravier, il eut du mal à résister au désir de se mettre à courir. Depuis une semaine qu'il était parti sur le lac de Côme pour aider Tatiana à superviser les aménagements du nouvel hôtel dont elle allait prendre la direction, il avait hâte de retrouver Bliss qu'il avait laissée chez ses parents. Il brûlait de la revoir et de lui annoncer, ainsi qu'à sa famille, les excellentes nouvelles qu'il leur apportait.

— Dante !

Debout derrière Antonio qui tenait sur ses genoux le petit Roberto, Bliss avait senti la présence de son mari avant même qu'il tourne le coin de la maison, et une joie rayonnante avait envahi son visage. Elle était de nouveau enceinte, de six mois maintenant, mais plus désirable que jamais dans un ensemble blanc sans manches. Avec son teint délicatement hâlé, elle respirait un tel bonheur de vivre que Dante aurait voulu l'emmener immédiatement à l'écart pour lui expliquer en détails à quel point elle lui avait manqué.

Il savait que ses parents ne seraient pas choqués qu'il l'embrasse la première. Pourtant, en voyant que leur baiser se prolongeait avec une intensité presque embarrassante, Antonio ne put s'empêcher d'intervenir.

— Allons, allons ! Tu devrais au moins laisser respirer cette malheureuse. On dirait que tu as été absent six mois et pas une petite semaine, lança-t-il en clignant de l'œil en direction de sa femme.

Isabella, assise dans un fauteuil, tricotait tranquillement pour le futur bébé.

— D'ailleurs, reprit Antonio, nous sommes impatients que tu nous donnes des nouvelles. Comment va ma Tatiana chérie ?

— Eh bien figurez-vous qu'elle est tombée amoureuse, répondit Dante en passant le bras autour de la taille de Bliss avec un sourire complice. D'un jeune entrepreneur nommé Raphaël, chargé de construire l'extension de l'hôtel. Au lieu de travailler, elle passe les trois quarts de son temps à l'observer de sa fenêtre.

— Dans ce cas, j'ai hâte de le connaître car il doit être extrêmement beau, remarqua Bliss d'un air malicieux.

— Je trouve cette remarque parfaitement déplacée, lança Dante en riant, avant de s'emparer de Roberto qui trônait toujours sur les genoux de son grand-père, et de le faire sauter en l'air.

En observant son mari, Bliss sentit son cœur se gonfler de joie. Même si elle avait toujours su qu'il ferait un excellent père, elle le trouvait formidable de patience et d'amour vis-à-vis de leur fils.

Quant à Antonio, il faisait preuve envers elle de plus

150

d'attention que son propre père n'en avait jamais montrée. Et voilà qu'un second enfant allait venir mettre un comble à leur bonheur… Le médecin qui avait examiné Bliss à la maternité de Milan l'avait déclarée en pleine forme, et toutes les inquiétudes qu'elle avait connues lors de sa précédente grossesse n'étaient plus qu'un mauvais souvenir. Elle se sentait absolument heureuse.

— Va donc te changer pour être plus à l'aise, proposa Isabella à son fils avec un sourire. Et emmène ta femme. Il me semble qu'un peu de repos ne lui fera pas de mal. *Papà* veillera sur Roberto jusqu'à votre retour.

— *Grazie*, répondit Dante en embrassant tendrement sa mère sur la joue.

A l'idée de se retrouver seul avec Bliss, il sentit une onde de désir le parcourir de la tête aux pieds. Il posa son fils dans les bras d'Antonio, puis entraîna vivement la jeune femme dans la maison.

Avant d'entrer dans leur chambre, il lui prit le visage entre ses mains et lui jeta un regard d'amour passionné, tout en remerciant silencieusement le ciel de lui avoir permis de la rencontrer.

— Tu ne te sens pas trop fatiguée ? s'enquit-il, un peu anxieux, en jetant un coup d'œil au ventre qui s'arrondissait.

— Le voyage depuis le lac de Côme a vraiment dû t'épuiser, Dante ! Comment peux-tu imaginer que je rêve en cet instant d'autre chose que de me mettre au lit avec mon merveilleux mari ? dit-elle avant de le pousser dans la chambre dont elle referma vivement la porte.

Chère lectrice,

Vous nous êtes fidèle depuis longtemps?
Vous venez de faire notre connaissance?

C'est pour votre plaisir que nous avons
imaginé un rendez-vous chaque mois
avec vos auteurs préférés, vos
AUTEURS VEDETTE dans les
collections Azur et Horizon.

Les AUTEURS VEDETTE vous
donneront rendez-vous pour de
nouveaux livres vedette.

Pour les reconnaître, cherchez
l'étoile ... Elle vous guidera!

Éditions Harlequin

HARLEQUIN

LE FORUM DES LECTEURS ET LECTRICES

CHERS(ES) LECTEURS ET LECTRICES,

VOUS NOUS ETES FIDÈLES DEPUIS LONGTEMPS?

VOUS VENEZ DE FAIRE NOTRE CONNAISSANCE?

SI VOUS AVEZ DES COMMENTAIRES, DES CRITIQUES À FORMULER, DES SUGGESTIONS À OFFRIR, N'HÉSITEZ PAS... ÉCRIVEZ-NOUS À:
> LES ENTERPRISES HARLEQUIN LTÉE.
> 498 RUE ODILE
> FABREVILLE, LAVAL, QUÉBEC.
> H7R 5X1

C'EST AVEC VOS PRÉCIEUX COMMENTAIRES QUE NOUS ALLONS POUVOIR MIEUX VOUS SERVIR.

DE PLUS, SI VOUS DÉSIREZ RECEVOIR UNE OU PLUSIEURS DE VOS SÉRIES HARLEQUIN PRÉFÉRÉE(S) À VOTRE DOMICILE, NE TARDEZ PAS À CONTACTER LE SERVICE D'ABONNEMENT; EN APPELANT AU (514) 875-4444 (RÉGION DE MONTRÉAL) OU 1-800-667-4444 (EXTÉRIEUR DE MONTRÉAL) OU TÉLÉCOPIEUR (514) 523-4444 OU COURRIER ELECTRONIQUE: AQCOURRIER@ABONNEMENT.QC.CA OU EN ÉCRIVANT À:
> ABONNEMENT QUÉBEC
> 525 RUE LOUIS-PASTEUR
> BOUCHERVILLE, QUÉBEC
> J4B 8E7

MERCI, À L'AVANCE, DE VOTRE COOPÉRATION.

BONNE LECTURE.

HARLEQUIN.

VOTRE PASSEPORT POUR LE MONDE DE L'AMOUR.

COLLECTION HORIZON

Des histoires d'amour romantiques qui vous mènent au bout du monde!

Découvrez la passion et les vives émotions qu'apportent à la Collection Horizon des auteurs de renommée internationale!

Captivantes, voire irrésistibles, ces histoires d'amour vous iront assurément droit au coeur.

Surveillez nos trois nouveaux titres chaque mois!

HARLEQUIN

Lisez Rouge Passion pour rencontrer L'HOMME DU MOIS!

Chaque mois, vous rencontrerez un homme **très sexy** dans la série Rouge Passion.

On peut distinguer les livres L'HOMME DU MOIS parce qu'il y a un très bel homme sur la couverture! Et dedans, vous trouverez des histoires écrites selon le point de vue de l'homme et de la femme.

Les livres L'HOMME DU MOIS sont écrits par les plus célèbres auteurs de Harlequin!

Laissez-vous tenter avec L'HOMME DU MOIS par une histoire d'amour sensuelle et provocante. Une histoire chaque mois disponible en août là où les romans Harlequin sont en vente!

RP-HOM-R

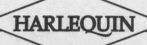

69 L'ASTROLOGIE EN DIRECT
TOUT AU LONG
DE L'ANNÉE.

(France métropolitaine uniquement)
Par téléphone 08.92.68.41.01
0,34 € la minute (Serveur JET MULTIMÉDIA).

Composé et édité par les
éditions Harlequin
Achevé d'imprimer en juin 2006

BUSSIÈRE
GROUPE CPI

à Saint-Amand-Montrond (Cher)
Dépôt légal : juillet 2006
N° d'imprimeur : 61056 — N° d'éditeur : 12194

Imprimé en France